公認会計士試験

短答式試験対策シリーズ

TAC公認会計士講座

ベーシック問題集

CERTIFIED PUBLIC ACCOUNTANT

TAC出版
TAC PUBLISHING Group

はじめに

本書は，公認会計士試験の短答式試験対策を本格的に始められた方々を中心に，苦手論点を克服されたい方や，直前期の再確認のために，その試験科目４科目のエッセンスを抽出し，試験や出題範囲全体の見通しが立てやすいように編集された問題集です。

短答式試験対策を始められた方は，以下のような目標を設定してこの本に載っている問題に挑戦してみてください。たとえば，１回目は自分の弱点・知らなかった論点を見つける。２回目は解けなかった問題を中心に弱点となっている分野の充実を図る。３回目はより短い時間で解くためのコツをつかむ。このような目標を設定するとよいでしょう。

また，苦手論点を克服されたい方はその論点を集中的に，さらに直前期の確認としては確実性と時間を意識して，問題に取り組まれるとよいでしょう。

短答式試験に合格するための最短の道は基本をしっかりと身につけることです。そのために，本書では本試験で確実にできなければならない論点だけに絞り込んで問題を載録しています。

短答式試験合格のため，ぜひ本書をご活用ください。

ＴＡＣ公認会計士講座

本書執筆にあたっては，令和６年４月１日現在有効な法令等を前提としています。

公認会計士をめざす方へ

本書は，公認会計士試験の合格を目指して入門レベルの学習を終えた方が合格に向けて一段階ステップアップするための問題集として構成しています。

公認会計士試験の出題範囲は年々拡大していますが，現実には半分以上の受験者が正答できるレベルの出題を全て得点すれば合格ラインに達することができます。この意味で，試験合格のために最も重要なことは，100点を取るために細かい論点をひたすら追いかけるよりむしろ「他の誰もが得点できるレベルの基礎的な出題を落とさないこと」ということができます。

そこで本書では，公認会計士試験の出題範囲として公認会計士・監査審査会が公表している各分野の重要性・出題可能性を十分に吟味し，基礎レベルをマスターできる問題を厳選収録しています。

まずは本書を活用して監査論の全体的な枠組みを掴んでいただければ幸いです。

目　　次

I　財務諸表監査総論

		問題	解答・解説
問題１	財務諸表監査総論①	2	54
問題２	財務諸表監査総論②	3	55
問題３	監査の目的	4	56
問題４	二重責任の原則	5	57
問題５	監査基準①	6	58
問題６	監査基準②	7	59
問題７	一般基準①	8	60
問題８	一般基準②	9	61
問題９	監査人の独立性	10	62

II　監査の実施

		問題	解答・解説
問題10	監査意見と監査手続	11	63
問題11	監査手続①	12	64
問題12	監査手続②	13	65
問題13	監査証拠	14	66
問題14	内部統制①	15	67
問題15	内部統制②	16	68
問題16	試査①	17	69
問題17	試査②	18	70
問題18	リスク・アプローチ①	19	71
問題19	リスク・アプローチ②	20	72
問題20	事業上のリスク等を重視したリスク・アプローチ①	21	73
問題21	事業上のリスク等を重視したリスク・アプローチ②	22	74
問題22	会計上の見積りの監査	23	75
問題23	監査計画	24	76
問題24	監査調書	25	77
問題25	他の監査人等の利用	26	78
問題26	経営者確認書	27	79

Ⅲ　監査報告

		問題	解答・解説
問題27	監査報告書の記載事項	28	80
問題28	監査報告①	29	81
問題29	監査報告②	30	82
問題30	監査上の主要な検討事項	31	83
問題31	追記情報	32	84
問題32	監査報告上の判断①	33	85
問題33	監査報告上の判断②	34	86

Ⅳ　個別論点

		問題	解答・解説
問題34	財務諸表監査における不正	35	87
問題35	不正リスク対応基準	36	88
問題36	財務諸表監査における法令の検討	37	89
問題37	継続企業①	38	90
問題38	継続企業②	39	91
問題39	監査の品質管理①	40	92
問題40	監査の品質管理②	41	93

Ⅴ　保証業務

		問題	解答・解説
問題41	期中レビュー①	42	94
問題42	期中レビュー②	43	95
問題43	内部統制監査①	44	96
問題44	内部統制監査②	45	97

Ⅵ　監査制度

		問題	解答・解説
問題45	金融商品取引法監査制度①	46	98
問題46	金融商品取引法監査制度②	47	99
問題47	会社法監査制度①	48	100
問題48	会社法監査制度②	49	101
問題49	公認会計士監査制度①	50	102
問題50	公認会計士監査制度②	51	103

問 題 編

Certified Public Accountant

□
□
□

問題 1　財務諸表監査総論①

財務諸表監査に関する次の記述のうち，正しいものの組合せとして最も適切な番号を一つ選びなさい。

ア．財務諸表監査は，企業外部の利害関係者に対しては，経済的意思決定の基礎とする財務諸表の信頼性が担保されるという便益をもたらすが，被監査会社に対しては，特段の便益をもたらすものではない。

イ．財務諸表監査は，監査人が会計の職業的専門家として，経営者とともに財務諸表を作成することによって開示される財務諸表の信頼性を担保するために行われる。

ウ．財務諸表監査は，財務諸表の作成に対して経営者が負担する責任を免除するものではなく，経営者は，財務諸表監査を受けることによっても，財務諸表に重要な虚偽の表示が含まれていたときには責任を問われることがある。

エ．財務諸表監査は，財務諸表に重要な虚偽の表示がないことについて合理的な範囲で保証を与えることにより，財務諸表が誤っていることに起因して不測の損害を被るリスクから企業外部の利害関係者を保護する制度である。

1．アイ　　2．アウ　　3．アエ　　4．イウ　　5．イエ　　6．ウエ

問題 2 財務諸表監査総論②

財務諸表監査に関する次の記述のうち，正しいものの組合せとして最も適切な番号を一つ選びなさい。

ア．財務諸表が企業の財政状態，経営成績及びキャッシュ・フローの状況を適正に表示しているものと認める旨の監査人の意見は，経営者による業務遂行の効率性や有効性を保証するものではない。
イ．企業が公表する財務諸表について監査が必要とされるのは，利害関係者は，会計の職業的専門家による解説がなければ，財務諸表上の情報を基礎に，合理的な経済的意思決定を行うことができないためである。
ウ．監査人は，虚偽表示の皆無を確かめることは求められないが，少なくとも利害関係者の経済的意思決定に影響を与えると合理的に見込まれる虚偽表示は看過することのないように監査を計画し実施する必要がある。
エ．監査人には，単に財務諸表の適否を明らかにするのみならず，より適正な財務諸表の開示に貢献する役割があるため，監査の過程において虚偽表示を発見した場合には，自らの責任の下で修正しなければならない。

1．アイ　2．アウ　3．アエ　4．イウ　5．イエ　6．ウエ

□
□
□

問題 3　監査の目的

監査基準の「第一　監査の目的」1に関する次の記述のうち，正しいものの組合せとして最も適切な番号を一つ選びなさい。

ア．監査の目的は，経営者の作成した財務諸表に対して監査人が意見を表明することにあり，財務諸表の作成に対する経営者の責任と，当該財務諸表の適正表示に関する意見表明に対する監査人の責任との区別（二重責任の原則）が明示されている。

イ．監査基準では，基本的な構成からなる財務諸表に対する監査を前提として，財務諸表が企業の財政状態，経営成績及びキャッシュ・フローの状況を適正に表示しているかどうかについて意見を表明するとしており，監査の対象となる財務諸表の種類，あるいは監査の根拠となる制度や契約事項が異なる場合であっても，意見の表明の形式は異ならない。

ウ．適正意見と虚偽の表示との関係について，監査人が財務諸表は適正に表示されているとの意見を表明することには，経営者から依頼された監査手続を実施した限りにおいて，財務諸表には全体として重要な虚偽の表示がないことの合理的な保証を得たとの自らの判断が含まれていることが明確にされている。

エ．合理的な保証を得たとは，監査が対象とする財務諸表の性格的な特徴や監査の特性などの条件がある中で，職業的専門家としての監査人が一般に公正妥当と認められる監査の基準に従って監査を実施して，絶対的ではないが相当程度の心証を得たことを意味する。

1．アイ　2．アウ　3．アエ　4．イウ　5．イエ　6．ウエ

問題 4　二重責任の原則

□□□

二重責任の原則に関する次の記述のうち，正しいものの組合せとして最も適切な番号を一つ選びなさい。

ア．監査人が発見した財務諸表の重要な虚偽表示の修正を経営者に求めることは，財務諸表の作成に対する責任の所在を不明瞭なものとするため，避けるべきである。

イ．経営者は，一般に公正妥当と認められる企業会計の基準に準拠して財務諸表を作成し適正に表示する責任のみならず，重要な虚偽表示のない財務諸表を作成するために必要な内部統制を整備及び運用する責任も負う。

ウ．経営者と監査人の責任が明確に区別されていない場合には，監査人の独立性が損なわれ，財務諸表の信頼性の保証という監査本来の役割が果たせなくなるおそれがあるため，二重責任の原則に基づく責任の区別は重要である。

エ．利害関係者の経済的意思決定に資する情報を提供する役割は経営者が担うべきものであるため，監査人が意見表明による保証とは別に，監査人からの情報を提供することは禁じられている。

1．アイ　　2．アウ　　3．アエ　　4．イウ　　5．イエ　　6．ウエ

□
□
□

問題 5 監査基準①

監査基準に関する次の記述のうち，正しいものの組合せとして最も適切な番号を一つ選びなさい。

ア．監査基準は，監査実務の中に慣習として発達したもののなかから，一般に公正妥当と認められたところを帰納要約した原則であって，職業的監査人が財務諸表の監査を行うに当たり常に遵守しなければならない法令である。

イ．監査基準は，監査を受ける立場にある被監査会社と，監査を実施した結果の報告を受ける立場にある利害関係者の二者間の利害を合理的に調整するものとして設定されている。

ウ．監査基準は，監査人の役割を啓蒙して社会の人々の過剰な期待を抑えることで期待ギャップを縮小する機能のみならず，監査人の役割を拡充して社会の人々の期待に応えることで期待ギャップを縮小する機能も有している。

エ．監査基準は，社会的期待に応え得る証明水準を具備した監査の実施を担保するとともに，監査に関して監査人が負担し得る責任の限界を明らかにする意義を有している。

1．アイ　2．アウ　3．アエ　4．イウ　5．イエ　6．ウエ

問題 6 監査基準②

監査基準に関する次の記述のうち，正しいものの組合せとして最も適切な番号を一つ選びなさい。

ア．監査基準は当初，金融商品取引法の前身である証券取引法に基づく財務諸表の監査に適用されることを念頭に設定されたが，監査人は，会社法に基づく計算関係書類の監査においても，監査基準に準拠しなければならない。
イ．監査基準は，監査実務の中に慣習として発達したものを帰納要約した原則であるため，慣習として定着していない実務が監査基準として規範化されることはない。
ウ．監査人は，監査基準に準拠して監査を行ったとしても，財務諸表の重要な虚偽の表示を看過して誤った意見を表明した場合には，その責任を負わなければならない。
エ．一般に公正妥当と認められる監査の基準は，監査基準及び監査実務指針からなるが，一般的に認められている監査実務慣行は，あくまで実務上の参考であり，監査実務指針を構成しない。

1．アイ　2．アウ　3．アエ　4．イウ　5．イエ　6．ウエ

□
□
□

問題 7　一般基準①

監査基準「第二　一般基準」に関する次の記述のうち，正しいものの組合せとして最も適切な番号を一つ選びなさい。

ア．職業的懐疑心は，職業的専門家としての正当な注意に含まれる概念であるが，財務諸表に重要な虚偽の表示が存在するおそれに常に注意を払うことを求めるとの観点から，監査基準の設定当初から規定されている。
イ．違法行為は，その判断に法律の専門的な知識が必要となることも多いが，財務諸表に重要な影響を及ぼす場合があるため，一般基準では，違法行為自体を発見することが監査人の責任であることが明らかにされている。
ウ．一般基準は，監査人の適格性の条件及び監査人が業務上守るべき規範を定めるものであったが，現在では，監査人の自主的かつ道義的な判断や行動に任せていた点を制度的に担保する観点から，監査の品質管理も定められている。
エ．守秘義務に関する規定は，監査基準の設定当初から設けられており，監査を受ける企業との信頼関係を維持し，監査業務を効率的に遂行する観点から，現在の一般基準においても維持されている。

1．アイ　　2．アウ　　3．アエ　　4．イウ　　5．イエ　　6．ウエ

問題 8　一般基準②

□□□

監査基準の一般基準に関する次の記述のうち，正しいものの組合せとして最も適切な番号を一つ選びなさい。

ア．監査人は，職業的専門家としての専門能力の向上と実務経験等から得られる知識の蓄積に常に努めなければならず，これを担保するために公認会計士法は，日本公認会計士協会が行う研修を定めている。

イ．監査人は，公正不偏の態度に影響を及ぼす可能性という観点から，独立の立場を損なう特定の利害関係を有することはもとより，このような関係を有しているとの疑いを招く外観を呈することもあってはならない。

ウ．監査人は，職業的専門家としての正当な注意を払い，懐疑心を保持して監査を行わなければならないが，ここでいう懐疑心は，経営者が誠実でないことを前提とした監査人の姿勢を基礎としている。

エ．監査人は，業務上知り得た企業に関する未公表の情報については，企業の秘密であるか否かにかかわらず守秘義務の対象となることから，正当な理由なく他に示してはならない。

1．アイ　　2．アウ　　3．アエ　　4．イウ　　5．イエ　　6．ウエ

□
□
□

問題 9 監査人の独立性

監査人の独立性に関する次の記述のうち，正しいものの組合せとして最も適切な番号を一つ選びなさい。

ア．精神的独立性とは，職業的専門家としての判断を危うくする影響を受けることなく，結論を表明できる精神状態を保ち，誠実に行動し，客観性と職業的懐疑心を堅持できることをいう。

イ．監査人が精神的独立性を保持し，職業的専門家としての正当な注意を払って監査を行うことができるのであれば，監査人が被監査会社と利害関係を有していることは問題とならない。

ウ．監査人に対して精神的独立性を保持して監査を行うことが求められるのは，精神的独立性が損なわれた場合には，外観的独立性が損なわれるおそれが高くなるためである。

エ．外観的独立性は，形式的な問題であるため，法令によって具体的に規制されているが，精神的独立性は，監査人の心の状態の問題であるため，法令によって具体的に規制されていない。

1．アイ　2．アウ　3．アエ　4．イウ　5．イエ　6．ウエ

問題 10　監査意見と監査手続

□
□
□

監査の実施に関する次の記述のうち，正しいものの組合せとして最も適切な番号を一つ選びなさい。

ア．監査人の意見は，財務諸表の適正性を対象として表明されるが，財務諸表の適正性は直接立証することができないため，経営者の提示する財務諸表項目に対して設定した監査要点ごとに立証を重ねて間接的に立証することになる。
イ．監査証拠の十分性とは，監査証拠の量的尺度をいう一方で，監査証拠の適切性は，監査証拠の質的尺度をいい，意見表明のための基礎を裏付ける監査証拠の証明力をいう。
ウ．監査基準は，財務諸表項目ごとに設定される監査要点として一般的なものを例示しているが，監査要点は，監査を受ける企業の業種，組織，情報処理システムなどに対応して監査人が自らの判断で設定することが基本となる。
エ．監査人は，合理的な期間内に合理的な費用の範囲で財務諸表に対する意見を形成することが求められるため，監査手続の実施の時期や費用を理由として，代替手続のない監査手続を省略することができることもある。

1．アイ　2．アウ　3．アエ　4．イウ　5．イエ　6．ウエ

□
□
□

問題 11　監査手続①

監査手続に関する次の記述のうち，正しいものの組合せとして最も適切な番号を一つ選びなさい。

ア．質問は，監査人が財務又は財務以外の分野に精通している企業内外の関係者に情報を求める監査手続であり，公式な書面又は電磁的記録による質問から非公式な口頭による質問まで様々である。
イ．有形資産の実査からは，資産の実在性及び資産に係る権利と義務に関する監査証拠を入手できるが，必ずしも評価に関する監査証拠を入手できるわけではない。
ウ．確認は，監査人が企業内外の関係者から文書又は口頭による回答を直接入手する監査手続であり，勘定残高とその明細に関連するアサーションに対して適合することが多い。
エ．分析的手続は，監査人がデータ間に存在すると推定される関係を分析・検討することによって，財務情報を評価する監査手続であるが，その適用の際には，財務データ以外のデータが用いられることもある。

1．アイ　2．アウ　3．アエ　4．イウ　5．イエ　6．ウエ

問題 12　監査手続②

□
□
□

監査手続に関する次の記述のうち，正しいものの組合せとして最も適切な番号を一つ選びなさい。

ア．実査は，資産の現物を実際に確かめる監査手続であり，監査人は，実査を用いることにより，在庫品や固定資産などの資産の実在性に関する証明力のある監査証拠を入手することができる。
イ．監査人は，実地棚卸の立会を実施することにより，棚卸資産の実在性に関する監査証拠を入手することができるが，棚卸資産の評価に関する監査証拠を入手することはできない。
ウ．監査人は，棚卸資産が財務諸表において重要である場合においても，関連する内部統制が適切に整備され有効に運用されていることが確かめられているときには，実地棚卸の立会を省略できることがある。
エ．監査人は，確認を実施する場合には，監査証拠としての証明力が損なわれることのないように，確認先に対し，被監査会社ではなく監査人に直接返送することを求めなければならない。

1．アイ　2．アウ　3．アエ　4．イウ　5．イエ　6．ウエ

□
□
□

問題 13 監査証拠

監査証拠に関する次の記述のうち，正しいものの組合せとして最も適切な番号を一つ選びなさい。

ア．買掛金の網羅性に関して過小計上の有無を確かめる場合，帳簿に計上された買掛金の検討が目的に適合するが，買掛金の実在性に関して過大計上の有無を確かめる場合，帳簿に計上された買掛金の検討は目的に適合しない。

イ．監査証拠の証明力は，監査人が監査証拠として利用する情報の内容とその情報源が同一であるならば，それが文書又は口頭のいずれによるかで異なるものではない。

ウ．複数の情報源から入手した監査証拠に矛盾がない場合又は異なる種類の監査証拠が相互に矛盾しない場合には，通常，個々に検討された監査証拠に比べ，より確かな心証が得られる。

エ．監査証拠は，主として監査の過程で実施した監査手続から入手するが，過年度において入手した情報，又は監査契約の新規の締結及び更新において入手した情報も含むことがある。

1．アイ　　2．アウ　　3．アエ　　4．イウ　　5．イエ　　6．ウエ

問題 14　内部統制①

□
□
□

内部統制に関する次の記述のうち，正しいものの組合せとして最も適切な番号を一つ選びなさい。

ア．内部統制の概念と構成要素は国際的にも共通に理解されているものであり，各国の法制や社会慣行あるいは個々の企業の置かれた環境や事業の特性等を理由に経営者が独自に整備し運用することは認められない。
イ．財務諸表の表示が適正である旨の監査人の意見は，財務報告目的の内部統制が有効であることについて合理的な保証を得たとの監査人の判断を含んでいる。
ウ．監査人は，内部統制が適切に整備されていることが裏付けられていたとしても，有効に運用されていることを裏付けない限り，内部統制に依拠して自ら実施する実証手続を軽減することは認められない。
エ．内部統制は，組織内の全ての者が業務の中で遂行する一連の動的なプロセスであり，単に何らかの事象又は状況，あるいは規定又は機構を意味するものではない。

1．アイ　　2．アウ　　3．アエ　　4．イウ　　5．イエ　　6．ウエ

□
□
□

問題 15　内部統制②

内部統制システムに関する次の記述のうち，正しいものの組合せとして最も適切な番号を一つ選びなさい。

ア．内部統制システムの目的には，企業の財務報告の信頼性，事業経営の有効性と効率性，事業経営に係る法令の遵守があり，監査人は，内部統制に依拠するためには，これら全ての目的が達成されていることを確かめる必要がある。

イ．内部統制システムの構成要素には，統制環境，企業のリスク評価プロセス，内部統制システムを監視する企業のプロセス，情報システムと伝達，統制活動があり，内部統制システムの目的が達成されるためには，これら全ての要素が備わっている必要がある。

ウ．内部統制には，共謀による場合，又は経営者が不当に内部統制を無効化した場合，本来の機能を果たせなくなるといった固有の限界があるため，内部統制システムは，企業目的の達成について絶対的な保証を提供するものではない。

エ．監査人は，有効に運用されている内部統制への依拠の程度が高いほど，実証手続からより適合性が高く，より証明力が強く，又はより多くの監査証拠を入手しなければならない。

1．アイ　　2．アウ　　3．アエ　　4．イウ　　5．イエ　　6．ウエ

問題 16　試査①

□
□
□

試査に関する次の記述のうち，正しいものの組合せとして最も適切な番号を一つ選びなさい。

ア．試査採用の論拠としては，財務諸表監査が，財務諸表を用いた企業の状況に関する利害関係者の判断を誤らせるほどに重要な虚偽の表示が存在しないことを保証するものであると理解されていることが挙げられる。
イ．試査採用の論拠としては，統計理論や技術の発達により，試査に基づく判断の客観性が相当程度担保されていることが挙げられる。しかしながら，試査に基づく監査手続の実施上，統計理論や技術が用いられないこともある。
ウ．試査採用の論拠としては，財務諸表の重要な虚偽の表示については，経営者がその防止又は発見・是正のために内部統制を整備及び運用する責任を負うものであり，監査人に発見の責任はないことが挙げられる。
エ．試査採用の論拠としては，監査手続を精査によることは，時間，人員及び費用の観点から現実的でないことが挙げられる。そのため，監査手続は全て試査によるものとされ，精査によることはない。

1．アイ　　2．アウ　　3．アエ　　4．イウ　　5．イエ　　6．ウエ

□
□
□

問題 17　試査②

試査に関する次の記述のうち，正しいものの組合せとして最も適切な番号を一つ選びなさい。

ア．監査人が十分かつ適切な監査証拠を入手するために利用可能な，監査手続の対象項目の抽出方法には，精査(100%の検討)，特定項目抽出による試査及び監査サンプリングによる試査がある。

イ．精査は，内部統制の運用評価手続には通常適用しないが，詳細テストにおいては，例えば，母集団が少数の金額的に大きい項目から構成されている場合などに用いられることがある。

ウ．監査人は，特定項目抽出による試査によって抽出した項目に対して実施した監査手続の結果から，母集団全体にわたる一定の特性を推定することができる場合がある。

エ．監査サンプリングにおいて，監査人は，母集団内の全てのサンプリング単位に抽出の機会が与えられるような方法で，サンプルを抽出しなければならないため，サンプルの抽出は，無作為抽出法によることが求められる。

1．アイ　　2．アウ　　3．アエ　　4．イウ　　5．イエ　　6．ウエ

問題 18　リスク・アプローチ①

□
□
□

リスク・アプローチに関する次の記述のうち，正しいものの組合せとして最も適切な番号を一つ選びなさい。

ア．リスク・アプローチは，重要な虚偽の表示が生じる可能性が高い事項について重点的に監査の人員や時間を充てることにより，監査を効果的かつ効率的なものとすることができる監査の実施の方法である。

イ．監査リスクは，財務諸表に重要な虚偽の表示がある場合に監査人が重要な虚偽の表示がないという意見を表明するリスクと，重要な虚偽の表示がない場合に監査人が重要な虚偽の表示があるという意見を表明するリスクからなる。

ウ．監査人は，重要な虚偽表示のリスクの評価に基づいて，発見リスクを合理的に低い水準に抑えることができるように監査リスクの水準を決定し，これを基礎として実証手続を立案し実施することになる。

エ．重要な虚偽表示のリスクの評価は，定量的な評価によることも，定性的な評価によることもできるが，いずれの場合においても，監査人にとって重要なことは，適切なリスク評価を行うことである。

1．アイ　　2．アウ　　3．アエ　　4．イウ　　5．イエ　　6．ウエ

□
□
□

問題 19　リスク・アプローチ②

リスク・アプローチに関する次の記述のうち，正しいものの組合せとして最も適切な番号を一つ選びなさい。

ア．監査人が合理的に低い水準に抑えなければならない監査リスクには，財務諸表監査に関連して発生する訴訟，風評，又はその他の事象から発生する損失など，監査人の事業上のリスクは含まれない。

イ．監査リスクが合理的に低い水準に抑えられたときに，合理的な保証が得られることになる。しかし，監査人が合理的な保証を得ていたとしてもなお，誤った意見が形成されている可能性は残される。

ウ．固有リスクは，財務諸表に重要な虚偽の表示が潜在する可能性を意味するものであり，その水準は，経営者が整備及び運用する内部統制の有効性が高いほど低くなる。

エ．発見リスクが低く決定された場合，財務諸表の重要な虚偽の表示が実証手続を実施してもなお発見されない可能性が低いことを意味するため，監査人は，より軽減した実証手続を立案し実施することで監査を効率的に実施する。

1．アイ　2．アウ　3．アエ　4．イウ　5．イエ　6．ウエ

問題 20　事業上のリスク等を重視したリスク・アプローチ①

□
□
□

リスク評価及び評価したリスクへの対応に関する次の記述のうち，正しいものの組合せとして最も適切な番号を一つ選びなさい。

ア．リスク評価手続は，重要な虚偽表示リスクを識別し評価するために立案され，実施される監査手続をいい，企業及び企業環境を理解する手続のほか，内部統制の運用状況の評価手続が含まれる。

イ．監査人は，財務諸表項目に関連した重要な虚偽表示リスクを評価するに当たっては，固有リスクと統制リスクを分けて評価しなければならない。

ウ．監査人は，広く財務諸表全体に関係し特定の財務諸表項目のみに関連づけられない重要な虚偽表示のリスクがあると判断した場合には，全般的な対応を監査計画に反映させなければならない。

エ．財務諸表に影響を与える事業上のリスクを理解することは，監査人が重要な虚偽表示リスクを識別するのに役立つため，監査人は全ての事業上のリスクを理解し識別する責任を負う。

1．アイ　　2．アウ　　3．アエ　　4．イウ　　5．イエ　　6．ウエ

□
□
□

問題 21　事業上のリスク等を重視したリスク・アプローチ②

リスク評価及び評価したリスクへの対応に関する次の記述のうち，正しいものの組合せとして最も適切な番号を一つ選びなさい。

ア．事業上のリスクは，企業目的の達成や戦略の遂行に悪影響を及ぼし得る重大な状況，事象，環境及び行動の有無に起因するリスク，又は不適切な企業目的及び戦略の設定に起因するリスクをいい，財務諸表全体レベルの重要な虚偽表示リスクにつながるものである。

イ．監査人は，企業及び企業環境を理解するためのリスク評価手続として，質問及び分析的手続を必ず実施し，必要と認めた場合には観察及び記録や文書の閲覧を追加して実施する。

ウ．監査人は，監査手続を実施する際に評価又は利用するデータに関連する場合には，事業経営の有効性と効率性を高める目的や事業運営に係る法令の遵守を促す目的に関連する内部統制の運用評価手続を実施することがある。

エ．監査人は，識別したアサーション・レベルの重要な虚偽表示リスクが特別な検討を必要とするリスクであると判断した場合，当該リスクに関連する内部統制の運用状況の評価手続のみで対応することはできない。

1．アイ　　2．アウ　　3．アエ　　4．イウ　　5．イエ　　6．ウエ

問題 22　会計上の見積りの監査

□
□
□

会計上の見積りの監査に関する次の記述のうち，正しいものの組合せとして最も適切な番号を一つ選びなさい。

ア．会計上の見積りの確定額と過年度の財務諸表における認識額との間に差異があった場合，経営者は，過年度の財務諸表を訂正するとともに，監査人は，訂正された財務諸表に対する監査報告書を発行しなければならない。
イ．財務諸表は，あくまで経営者が作成するものであることから，監査人は，会計上の見積りの合理性を判断するためであるとしても，自ら会計上の見積りを行い，経営者が行った見積りと比較することはない。
ウ．監査人は，状況によっては，監査報告書日までに発生した事象から監査証拠を入手するのみで，会計上の見積りに関して評価した重要な虚偽表示リスクに対応するための十分かつ適切な監査証拠が得られることがある。
エ．監査人は，会計上の見積りに関し，リスクに対応する監査手続として，原則として，経営者が採用した手法並びにそれに用いられた仮定及びデータを評価する手続を実施することが求められる。

1．アイ　　2．アウ　　3．アエ　　4．イウ　　5．イエ　　6．ウエ

□
□
□

問題 23　監査計画

監査計画に関する次の記述のうち，正しいものの組合せとして最も適切な番号を一つ選びなさい。

ア．監査の基本的な方針と詳細な監査計画とは，必ずしも別個の，又は前後関係が明確なプロセスではなく，一方に修正が生じれば他方にも修正が生じることがある，相互に密接に関連するものである。

イ．監査手続を容易に予測されることにより監査の有効性を阻害してしまうことを避けるため，監査人が監査計画の内容について経営者と協議することは禁じられている。

ウ．監査経験や洞察力を十分に有する者が参画することによって監査計画のプロセスの有効性と効率性を高めるために，監査計画の策定には，監査責任者を含め，監査チームの全てのメンバーが参画しなければならない。

エ．監査の基本的な方針に基づき作成される詳細な監査計画には，リスク対応手続の種類，時期及び範囲のみならず，リスク評価手続の種類，時期及び範囲も含まれる。

1．アイ　　2．アウ　　3．アエ　　4．イウ　　5．イエ　　6．ウエ

問題 24　監査調書

監査調書に関する次の記述のうち，正しいものの組合せとして最も適切な番号を一つ選びなさい。

ア．監査調書を作成する目的には，監査事務所による監査業務に係る審査及びモニタリング活動並びに日本公認会計士協会による品質管理レビュー及び公認会計士・監査審査会による検査の実施を可能にすることも含まれている。

イ．監査調書は，監査が一般に公正妥当と認められる監査の基準に準拠して実施されたという証拠を提供するものであるため，監査人は，監査において検討された事項及び職業的専門家としての判断の全てを文書化する必要がある。

ウ．監査人は，実施した監査手続の種類，時期及び範囲の文書化において，監査手続を実施した者及びその完了日のみならず，査閲をした者，査閲日及び査閲の対象についても記録しなければならない。

エ．監査調書の作成目的が果たされるためには，監査調書は，その作成の後，一定期間保存されていることが必要となり，公認会計士法では少なくとも10年間保存することが義務付けられている。

1．アイ　　2．アウ　　3．アエ　　4．イウ　　5．イエ　　6．ウエ

□□□

問題 25　他の監査人等の利用

他の監査人等の利用に関する次の記述のうち，正しいものの組合せとして最も適切な番号を一つ選びなさい。

ア．監査人は，他の監査人の監査結果を利用して監査意見を形成した場合には，利用者に対して意見形成の背景を明らかにするため，その旨を監査報告書に記載しなければならない。

イ．内部監査は，あくまで被監査会社内部の組織であり，監査人と同程度の独立性は認められないため，監査人は，内部監査の結果を信頼できるものとして利用することはできない。

ウ．監査人は，専門家の業務を利用する場合には，専門家としての能力及びその業務の客観性を評価し，その業務の結果が監査証拠として十分かつ適切であるかどうかを検討しなければならない。

エ．財務諸表等の一部の適否を判断するために他の監査人等を利用する場合においても，最終的に当該財務諸表等の一部を含む財務諸表全体に対する意見表明による保証の責任は，監査人が全面的に負担することになる。

1．アイ　2．アウ　3．アエ　4．イウ　5．イエ　6．ウエ

問題 26　経営者確認書

経営者確認書に関する次の記述のうち，正しいものの組合せとして最も適切な番号を一つ選びなさい。

ア．監査人は，監査実施の基礎となる経営者の責任が果たされたことについて監査期間中に監査証拠を入手した場合には，経営者確認書を入手する必要がないことがある。

イ．経営者確認書は，必要な監査証拠であるが，経営者確認書自体は，記載されている事項に関する十分かつ適切な監査証拠とはならず，監査人が入手する他の監査証拠の種類又は範囲には影響を及ぼさない。

ウ．他の監査証拠を裏付けるために経営者に確認を要請することが必要となる事項は状況に応じて異なるため，たとえ最終的に無限定意見を表明する場合においても，経営者確認書の内容が同一となるとは限らない。

エ．監査人は，監査人に提供される情報及び取引の網羅性に関する事項について経営者から確認が得られない場合，限定意見を表明するか，又は意見を表明してはならない。

1．アイ　　2．アウ　　3．アエ　　4．イウ　　5．イエ　　6．ウエ

□□□ 問題 27 監査報告書の記載事項

監査報告書に関する次の記述のうち，正しいものの組合せとして最も適切な番号を一つ選びなさい。

ア．監査人の意見の区分では，監査人の意見の記載に先駆けて，監査対象とした財務諸表の範囲が記載されることで，利用者に対して，意見表明による保証が及ぶ範囲が明らかにされることになる。

イ．意見の根拠の区分では，財務諸表の適正性の判断根拠として，会計方針の会計基準への継続的な準拠性，会計事象や取引の反映の適切性及び財務諸表の表示方法の適切性の各々について記載される。

ウ．経営者及び監査役等の責任の区分では，監査人の責任に対する利用者の適切な理解を促す観点から，財務諸表の作成に対する経営者の責任や財務報告プロセスを監視する監査役等の責任が記載される。

エ．監査人の責任の区分では，財務諸表に対して意見を表明する監査人の責任が具体的にどのように果たされたかを示すため，監査人が実際に選択適用した監査手続が記載される。

1．アイ　2．アウ　3．アエ　4．イウ　5．イエ　6．ウエ

□
□
□

問題 28　監査報告①

監査報告に関する次の記述のうち，正しいものの組合せとして最も適切な番号を一つ選びなさい。

ア．監査人は，監査意見の表明に当たっては，重要な虚偽表示のリスクを合理的に低い水準に抑えた上で，自己の意見を形成するに足る基礎を得なければならない。

イ．監査人は，経営者の作成した財務諸表が，一般に公正妥当と認められる企業会計の基準に準拠して，企業の財政状態，経営成績及びキャッシュ・フローの状況を全ての重要な点において適正に表示していると認められると判断したときは，その旨の意見を表明しなければならない。

ウ．監査人は，無限定適正意見を表明する場合，監査報告書上，監査の結果として入手した監査証拠が意見表明の基礎を与える十分かつ適切なものであることを意見の根拠の区分に記載する。

エ．監査人は，経営者が採用した会計方針の選択及びその適用方法，財務諸表の表示方法に関して不適切なものがあり，その影響が財務諸表全体として虚偽の表示に当たるとするほどに重要であると判断した場合，意見を表明してはならない。

1．アイ　　2．アウ　　3．アエ　　4．イウ　　5．イエ　　6．ウエ

□
□
□

問題 29　監査報告②

監査報告に関する次の記述のうち，正しいものの組合せとして最も適切な番号を一つ選びなさい。

ア．監査人は，適用する企業会計の基準が明確である場合又は企業会計の基準において詳細な定めがある場合でも，当該企業会計の基準に準拠しない会計方針を適用して作成された財務諸表の表示を適正と認められることがある。
イ．監査人は，意見の表明に先立ち，自らの意見が監査の基準に準拠して適切に形成されていることを確かめるための審査を受けないことが認められる場合がある。
ウ．監査人は，重要な監査手続を実施できなかったことにより，自己の意見を形成するに足る基礎が得られない場合であっても，除外事項の記載を行うことにより，意見を表明することが認められるときがある。
エ．監査人は，経営者が採用する会計方針が企業会計の基準に準拠して継続的に適用されている場合であっても，作成されている財務諸表の表示を適正でないと認めることがある。

1．アイ　2．アウ　3．アエ　4．イウ　5．イエ　6．ウエ

問題 30　監査上の主要な検討事項

□
□
□

監査上の主要な検討事項に関する次の記述のうち，正しいものの組合せとして最も適切な番号を一つ選びなさい。

ア．監査人は，監査の過程で経営者と協議した事項の中から特に注意を払った事項を決定した上で，その中からさらに，当年度の財務諸表の監査において，職業的専門家として特に重要であると判断した事項を監査上の主要な検討事項として決定しなければならない。

イ．監査上の主要な検討事項の決定に際しては，特別な検討を必要とするリスクが識別された事項が考慮されるが，監査上の主要な検討事項が常に特別な検討を必要とするリスクが識別された事項であるとは限らない。

ウ．監査人は，監査上の主要な検討事項として決定した事項について，関連する財務諸表における開示がある場合には当該開示への参照を付した上で，監査上の主要な検討事項の内容，監査人が監査上の主要な検討事項であると決定した理由及び監査における監査人の対応を監査報告書に記載しなければならない。

エ．監査上の主要な検討事項は，当年度の財務諸表の監査において，職業的専門家として特に重要であると判断した事項である以上，無限定適正意見を表明する場合のみならず，限定付適正意見や不適正意見を表明する場合，意見を表明しない場合にも記載される。

1．アイ　　2．アウ　　3．アエ　　4．イウ　　5．イエ　　6．ウエ

□
□
□

問題 31　追記情報

追記情報に関する次の記述のうち，正しいものの組合せとして最も適切な番号を一つ選びなさい。

ア．監査人は，監査報告書において監査人からの情報を追記情報として記載することがあるが，二重責任の原則の観点から，財務諸表に記載のない事項を追記情報とすることは禁じられている。
イ．監査人は，会計方針の変更，重要な偶発事象又は重要な後発事象について財務諸表に適切に注記されている場合であっても，当該注記を監査報告書において追記情報として記載するとは限らない。
ウ．重要な虚偽表示がないことについて十分かつ適切な監査証拠が入手されていない財務諸表上の記載は，除外事項とすべきものであり，追記情報とすることは認められない。
エ．監査人は，財務諸表の記載について強調する必要がある事項及び説明を付す必要がある事項がないと判断した場合には，その旨を監査報告書に記載しなければならない。

1．アイ　2．アウ　3．アエ　4．イウ　5．イエ　6．ウエ

問題 32　監査報告上の判断①

□
□
□

監査報告に関する次の記述のうち，正しいものの組合せとして最も適切な番号をー つ選びなさい。

ア．監査人は，経営者が採用した会計方針の選択及びその適用方法，財務諸表の表示方法に関して不適切なものがあり，その影響が無限定適正意見を表明することができない程度に重要ではあるものの，財務諸表を全体として虚偽の表示に当たるとするほどではないと判断したときには，除外事項を付した限定付適正意見を表明しなければならない。

イ．監査人は，重要な監査手続が実施できなかったことにより，財務諸表全体に対する意見表明のための基礎を得ることができなかったときには，不適正意見を表明してはならない。

ウ．監査人は，他の監査人が実施した監査の重要な事項について，その監査の結果を利用できないと判断したときに，更に当該事項について，重要な監査手続を追加して実施できなかった場合には，除外事項を付した限定付適正意見を表明しなければならない。

エ．監査人は，将来の帰結が予測し得ない事象又は状況について，財務諸表に与える当該事象又は状況の影響が複合的かつ多岐にわたる場合には，意見を表明してはならない。

1．アイ　2．アウ　3．アエ　4．イウ　5．イエ　6．ウエ

□
□
□

問題 33 監査報告上の判断②

次の監査報告上の判断のうち，正しいものの組合せとして最も適切な番号を一つ選びなさい。

ア．経営者が特定の得意先に対する売掛金についての確認に同意しなかったため，その理由を質問したが，経営者からの回答に合理性が認められなかったことから，監査範囲の制約に係る除外事項を付した限定付適正意見を表明した。

イ．監査対象となる連結財務諸表を作成する基礎となる子会社の財務諸表に対して他の監査人が不適正意見を表明していたため，連結財務諸表について意見不表明とした。

ウ．監査人が経営者確認書で確認を要請した事項の一部について経営者から確認を得られなかったため，意見に関する除外事項を付した限定付適正意見を表明した。

エ．監査人が追記情報として記載する必要があると判断した損害賠償請求訴訟について，財務諸表に注記されていなかったため，経営者に対して注記するよう求めたが，最終的に注記されなかったことから，不適正意見を表明した。

1．アイ　2．アウ　3．アエ　4．イウ　5．イエ　6．ウエ

□
□
□

問題 34 財務諸表監査における不正

財務諸表監査における不正に関する次の記述のうち，正しいものの組合せとして最も適切な番号を一つ選びなさい。

ア．監査人は，不正による重要な虚偽表示が財務諸表に含まれる可能性を考慮しなければならないが，不正は，隠蔽を伴うことが多いため，不正による重要な虚偽表示がないことについて合理的な保証を得ることまでは求められない。

イ．不正な財務報告とは，財務諸表の利用者を欺くために財務諸表に意図的な虚偽表示を行うことであり，計上すべき金額を計上しないこと又は必要な開示を行わないことは含まない。

ウ．資産の流用は，従業員により行われ，比較的少額であることが多いが，資産の流用を偽装し隠蔽することを比較的容易に実施できる立場にある経営者が関与することもある。

エ．不正な財務報告であるか資産の流用であるかを問わず，不正は，不正を実行する「動機・プレッシャー」,「機会」及び不正行為に対する「姿勢・正当化」を伴って生じる。

1．アイ　2．アウ　3．アエ　4．イウ　5．イエ　6．ウエ

□
□
□

問題 35　不正リスク対応基準

監査における不正リスク対応基準に関する次の記述のうち，正しいものの組合せとして最も適切な番号を一つ選びなさい。

ア．監査における不正リスク対応基準は，金融商品取引法監査において実施することを念頭に作成されており，法令により準拠が求められている場合に限り，一般に公正妥当と認められる監査の基準を構成することになる。
イ．監査における不正リスク対応基準は，不正摘発に対する社会的役割期待に応えるため，虚偽の表示の原因とならない不正を含め，不正の可能性に対して監査人に求められる対応を明らかにしている。
ウ．監査における不正リスク対応基準は，不正による重要な虚偽の表示を示唆する状況を識別した場合には，想定される不正の態様等に直接対応した監査手続を立案し監査計画を修正することを義務付けている。
エ．監査における不正リスク対応基準は，監査実施の各段階における不正リスクに対応した監査手続を実施するための監査事務所としての品質管理を規定しているが，新たな品質管理システムの導入を求めているわけではない。

1．アイ　　2．アウ　　3．アエ　　4．イウ　　5．イエ　　6．ウエ

問題 36　財務諸表監査における法令の検討

□
□
□

財務諸表監査における法令の検討に関する次の記述のうち，正しいものの組合せとして最も適切な番号を一つ選びなさい。

ア．監査人の意見は，企業における違法行為の有無を対象とするものではないため，監査人は，法令の種類を問わず，法令を遵守していることについて十分かつ適切な監査証拠を入手する責任を負わない。
イ．監査人は，識別された違法行為又はその疑いがない場合には，経営者に，違法行為又はその疑いが全て監査人に示された旨の経営者確認書を提出するように要請する必要はない。
ウ．監査人は，違法行為又はその疑いに関する情報に気付いた場合，行為の内容及び当該行為が発生した状況について理解するとともに，財務諸表に及ぼす影響を評価するために詳細な情報を入手しなければならない。
エ．監査人は，違法行為が財務諸表にとって重要でない場合でも，監査人がその状況において必要と考える適切な是正措置を経営者又は監査役等が講じないときには，監査契約の解除を検討することがある。

1．アイ　　2．アウ　　3．アエ　　4．イウ　　5．イエ　　6．ウエ

□□□

問題 37　継続企業①

継続企業の前提に関する次の記述のうち，正しいものの組合せとして最も適切な番号を一つ選びなさい。

ア．監査人は，継続企業を前提として作成された財務諸表の表示を適正と認める意見を表明した場合には，企業が将来の合理的な期間にわたって事業活動を継続できることについて保証を与えたことになる。
イ．監査人は，財務指標の悪化の傾向，財政破綻の可能性その他継続企業の前提に重要な疑義を生じさせるような事象又は状況があるかどうかについて，監査計画の策定に当たって確かめなければならない。
ウ．監査人は，継続企業の前提に重要な疑義を生じさせるような事象又は状況に関して経営者が評価及び対応策を示さない場合には，財務諸表に対する意見を表明してはならない。
エ．継続企業の前提に関する重要な不確実性が認められる場合であっても，経営者は，継続企業を前提として財務諸表を作成することができ，監査人は，当該財務諸表の表示を適正と認めることができることがある。

1．アイ　　2．アウ　　3．アエ　　4．イウ　　5．イエ　　6．ウエ

問題 38　継続企業②

□
□
□

継続企業の前提に関する次の記述のうち，正しいものの組合せとして最も適切な番号を一つ選びなさい。

ア．監査人は，継続企業の前提に重要な疑義を生じさせるような事象又は状況に関して経営者が評価及び対応策を示さない場合には，除外事項を付した限定付適正意見を表明することがある。
イ．監査人は，継続企業の前提に重要な疑義を生じさせるような事象又は状況が存在するが，経営者の対応策により継続企業の前提に関する重要な不確実性が認められないと判断して無限定適正意見を表明するときには，継続企業の前提に関する事項について監査報告書に記載しなければならない。
ウ．監査人は，継続企業を前提として財務諸表を作成することが適切でないが，財務諸表が継続企業を前提として作成されている場合，除外事項を付した限定付適正意見を表明するか，又は，財務諸表が不適正である旨の意見を表明しなければならない。
エ．監査人は，継続企業の前提に関する重要な不確実性が認められるときに，継続企業の前提に関する事項が財務諸表に適切に記載されていないと判断した場合であっても，不適正意見を表明しないことがある。

1．アイ　　2．アウ　　3．アエ　　4．イウ　　5．イエ　　6．ウエ

□
□
□

問題 39　監査の品質管理①

監査に関する品質管理基準(以下「品質管理基準」という。)に関する次の記述のうち，正しいものの組合せとして最も適切な番号を一つ選びなさい。

ア．品質管理基準は，監査基準とともに一般に公正妥当と認められる監査の基準を構成するものであり，監査人は，法令によって強制されなくとも，品質管理基準を遵守することが求められる。

イ．品質管理基準は，監査事務所が遵守すべき品質管理と個々の監査業務を実施する監査実施者が遵守すべき品質管理のうち，監査事務所が遵守すべき品質管理について定めたものである。

ウ．品質管理基準は，公認会計士による財務諸表の監査において適用されるものであり，品質管理システムの内容は，監査事務所が扱う監査業務の目的，内容等によって異なるものではない。

エ．品質管理基準は，年度の財務諸表の監査に適用されるほか，中間監査，期中レビュー及び内部統制監査について準用され，それ以外の監査事務所の業務についても，参照されることが望ましい。

1．アイ　　2．アウ　　3．アエ　　4．イウ　　5．イエ　　6．ウエ

問題 40　監査の品質管理②

□
□
□

監査の品質管理に関する次の記述のうち，正しいものの組合せとして最も適切な番号を一つ選びなさい。

ア．監査事務所は，審査の担当者が，適性，能力及び適切な権限を有すること，並びに審査の担当者として，客観性及び独立性を保持するとともに，職業倫理を遵守することを確かめなければならない。

イ．監査事務所は，後任の監査事務所への引継に関する品質目標には，監査上の重要事項を後任の監査事務所に伝達するとともに，後任の監査事務所から要請があった場合にはそれらに関連する監査調書の閲覧に応じるための方針又は手続を遵守することに関する目標を含めなければならない。

ウ．監査事務所が，他の監査事務所と共同で監査を実施する場合においても，監査業務の質が合理的に保たれる必要があるため，共同監査を担当する複数の監査事務所の品質管理システムは同一であることが求められる。

エ．監査事務所は，原則として，監査上の判断の相違が解決しない限り，監査報告書を発行してはならないが，やむを得ない事情がある場合には，監査責任者の判断に基づき監査報告書を発行することができる。

1．アイ　　2．アウ　　3．アエ　　4．イウ　　5．イエ　　6．ウエ

□
□
□

問題 41　期中レビュー①

期中レビューに関する次の記述のうち，正しいものの組合せとして最も適切な番号を一つ選びなさい。

ア．監査基準は，財務諸表に重要な虚偽の表示がないかどうかについて合理的な保証を得て意見を表明するための監査の実践規範であり，監査とその保証水準を明確に異にする期中レビューに適用されることはない。
イ．期中レビューにおいて，期中財務諸表に重要な虚偽の表示があるときに不適切な結論を表明するリスクは，年度の財務諸表の監査における監査リスクよりも高い。
ウ．監査人は，期中財務諸表について，重要な点において適正に表示していない事項が存在する可能性が高いと認められる場合であっても，年度の財務諸表の監査とは異なり，追加的な手続を実施する必要はない。
エ．期中レビューにおける無限定の結論，限定付結論，否定的結論及び結論の不表明は，それぞれ年度の財務諸表の監査における無限定適正意見，限定付適正意見，不適正意見及び意見の不表明に対応している。

1．アイ　　2．アウ　　3．アエ　　4．イウ　　5．イエ　　6．ウエ

問題 42　期中レビュー②

□
□
□

期中レビューに関する次の記述のうち，正しいものの組合せとして最も適切な番号を一つ選びなさい。

ア．期中レビューは，年度の財務諸表の監査を前提として実施されるものであるため，期中レビュー報告書の発行に際して経営者確認書を入手することは必ずしも求められない。
イ．監査人は，期中レビューの結論を表明する場合には，期中レビュー報告書の結論の根拠の区分において，期中レビューの結果として入手した証拠が結論の表明の基礎を与えるものであることを記載しなければならない。
ウ．期中レビュー手続は，年度の財務諸表の監査に比べて限定された手続であるため，監査人は，重要な期中レビュー手続を実施できなかった場合には，結論を表明してはならない。
エ．監査人は，期中レビュー報告書においても，年度の監査報告書と同様に，継続企業の前提に関する事項について，別に区分を設けて記載しなければならないことがある。

1．アイ　　2．アウ　　3．アエ　　4．イウ　　5．イエ　　6．ウエ

□
□
□

問題 43　内部統制監査①

内部統制の評価及び監査の制度に関する次の記述のうち，正しいものの組合せとして最も適切な番号を一つ選びなさい。

ア．内部統制監査において，監査人は，企業会計審議会が公表している内部統制の監査の基準のほか，監査基準の一般基準及び監査に関する品質管理基準を遵守しなければならない。

イ．財務諸表の監査人が内部統制監査を兼務した場合には，監査人としての独立性に疑いを招くおそれがあるため，財務諸表の監査人が内部統制監査を兼務することは，やむを得ない事情がある場合を除き，禁じられる。

ウ．監査人は，内部統制の開示すべき重要な不備を発見した場合には，経営者に報告して是正を求めるのみならず，その是正状況を適時に検討し，さらにその結果を取締役会及び監査役等に報告しなければならない。

エ．監査人は，内部統制に開示すべき重要な不備がある場合には，その旨及びそれが是正されない理由が内部統制報告書に適切に記載されている場合であっても，内部統制監査報告書においては不適正意見を表明する。

1．アイ　2．アウ　3．アエ　4．イウ　5．イエ　6．ウエ

問題 44　内部統制監査②

□
□
□

財務報告に係る内部統制の評価及び監査の制度に関する次の記述のうち，正しいものの組合せとして最も適切な番号を一つ選びなさい。

ア．期中において開示すべき重要な不備があったとしても，是正措置が講じられて期末日までに解消している場合には，財務報告に係る内部統制が有効であるとする内部統制報告書の表示を適正と認めることができる。
イ．開示すべき重要な不備があり，財務報告に係る内部統制が有効でない場合には，もはや財務諸表が企業の状況を適正に表示しているかどうかについて意見を表明することはできない。
ウ．内部統制監査と財務諸表監査とは，それぞれ目的として表明される意見の対象が異なるため，各々の監査報告は，それぞれ異なる監査報告書によって行われなければならない。
エ．財務報告に係る内部統制により財務報告の虚偽の記載を完全には防止又は発見することができない可能性がある旨は，経営者の作成する内部統制報告書にも，監査人の作成する内部統制監査報告書にも記載される。

1．アイ　　2．アウ　　3．アエ　　4．イウ　　5．イエ　　6．ウエ

□
□
□

問題 45　金融商品取引法監査制度①

金融商品取引法に基づく開示と監査の制度に関する次の記述のうち，正しいものの組合せとして最も適切な番号を一つ選びなさい。

ア．金融商品取引法に基づき開示される有価証券報告書又は半期報告書について，公認会計士又は監査法人による監査証明が義務付けられているのは，あくまで「経理の状況」に掲げられる財務書類に限られている。
イ．金融商品取引法に基づく年度の財務諸表の監査，中間監査と期中レビューは，いずれも経営者が作成した財務諸表に対する利用者の信頼性を高めるために，その適正性に関する意見又は結論を表明することを目的としている。
ウ．金融商品取引法に基づく財務書類に関する監査証明によって与えられる保証の水準は，高い順に，年度の財務諸表の監査，中間監査，期中レビューと示すことができる。
エ．金融商品取引法に基づき有価証券報告書の提出が義務付けられる会社は，財務書類の適正性を確保するための体制を評価した結果を記載した内部統制報告書を有価証券報告書と併せて提出しなければならない。

1．アイ　　2．アウ　　3．アエ　　4．イウ　　5．イエ　　6．ウエ

問題 46　金融商品取引法監査制度②

□□□

金融商品取引法監査に関する次の記述のうち，正しいものの組合せとして最も適切な番号を一つ選びなさい。

ア．公認会計士又は監査法人は，金融商品取引法に基づく開示書類のうち，財務書類については積極的形式による意見，内部統制報告書については消極的形式による結論を表明する。

イ．金融商品取引法に基づく年度の財務諸表及び中間財務諸表並びに内部統制報告書に関する監査証明は，通常，同一の公認会計士又は監査法人によって行われる。

ウ．半期報告書に含まれる中間財務諸表については，上場会社等の場合，公認会計士又は監査法人の中間監査を受けることが義務付けられるが，上場会社等以外の会社の場合，期中レビューを受けることで足りる。

エ．有価証券報告書又は半期報告書に関する訂正報告書を提出する場合であっても，公認会計士又は監査法人による監査証明は必ずしも必要とされない。

1．アイ　　2．アウ　　3．アエ　　4．イウ　　5．イエ　　6．ウエ

□
□
□

問題 47　会社法監査制度①

会社法監査制度に関する次の記述のうち，正しいものの組合せとして最も適切な番号を一つ選びなさい。

ア．会社法に基づき会計監査人を設置して計算関係書類に関する会計監査を受けることが義務付けられているのは会社法上の大会社に限られるが，それ以外の株式会社が会計監査人を設置することが禁じられているわけではない。
イ．会計監査人は，その職務を行うに際して取締役の職務の執行に関し不正の行為又は法令若しくは定款に違反する重大な事実があることを発見したときは，遅滞なく，これを監査役等に報告しなければならない。
ウ．会計監査人設置会社においては，計算書類及びその附属明細書並びに連結計算書類は，会計監査人の監査のみを受けることになり，監査役等の監査を受けることは要しないものとされる。
エ．計算関係書類が株式会社の財産及び損益の状況を全ての重要な点において適正に表示しているかどうかについて会計監査人が表明する意見の種類には，無限定適正意見，除外事項を付した限定付適正意見及び不適正意見がある。

1．アイ　　2．アウ　　3．アエ　　4．イウ　　5．イエ　　6．ウエ

問題 48　会社法監査制度②

□□□

会社法監査制度に関する次の記述のうち，正しいものの組合せとして最も適切な番号を一つ選びなさい。

ア．会計監査人設置会社においては，株式会社が作成する各事業年度に係る計算書類及び事業報告並びにこれらの附属明細書について，会計監査人の監査を受けることが求められる。

イ．大会社，監査等委員会設置会社又は指名委員会等設置会社であっても，金融商品取引法の規定により有価証券報告書を提出している場合には，会計監査人を設置しないことができる。

ウ．取締役は，計算書類を定時株主総会に提出し，定時株主総会の承認を受けなければならないが，会計監査人設置会社である場合には，定時株主総会の承認を要しないときがある。

エ．会社法上，会計監査人となることができるのは，公認会計士又は監査法人に限られており，公認会計士又は監査法人以外の者が会計監査人となることは認められない。

1．アイ　2．アウ　3．アエ　4．イウ　5．イエ　6．ウエ

□
□
□

問題 49　公認会計士監査制度①

我が国の監査制度に関する次の記述のうち，正しいものの組合せとして最も適切な番号を一つ選びなさい。

ア．会社法監査は，投資者保護を趣旨とする金融商品取引法監査とは異なり，株主及び債権者保護を趣旨とするが，監査人の意見が財務書類の適正表示を対象として表明される点では金融商品取引法監査と異ならない。
イ．会社法は，金融商品取引法と同様に，適時開示の観点から，会計監査人設置会社に対して中間財務諸表を作成し，会計監査人の期中レビューを受けることを義務付けている。
ウ．会社法監査と金融商品取引法監査の双方が義務付けられる会社にあっては，通常，同一の公認会計士又は監査法人が監査を担当することとなるが，同一とすることを求める法令上の定めはない。
エ．会社法監査が義務付けられる会社は，金融商品取引法監査が義務付けられるとは限らないが，金融商品取引法監査が義務付けられる会社は，会社法監査が義務付けられることになる。

1．アイ　　2．アウ　　3．アエ　　4．イウ　　5．イエ　　6．ウエ

問題 50　公認会計士監査制度②

□
□
□

監査人の独立性に関する次の記述のうち，正しいものの組合せとして最も適切な番号を一つ選びなさい。

ア．公認会計士は，会社の取締役又は使用人である場合，当該会社の財務書類について監査証明業務を行うことはできないが，会社の監査役である場合，当該会社の財務書類について監査証明業務を行うことができる。
イ．公認会計士は，会社から公認会計士業務以外の業務により継続的な報酬を受けている場合には，当該会社の財務書類について監査証明業務を行うことはできない。
ウ．公認会計士は，現に会社の使用人である場合のみならず，過去に会社の使用人であった場合も，将来にわたり当該会社の財務書類について監査証明業務を行うことはできない。
エ．公認会計士は，会社の株主，債権者又は債務者である場合であっても，例外的に，当該会社の財務書類について監査証明業務を行うことができるときがある。

1．アイ　2．アウ　3．アエ　4．イウ　5．イエ　6．ウエ

解答・解説編

Certified Public Accountant

問題 1　　正解 6

本問のポイント　財務諸表監査

▼解　説▼

ア．**誤っている記述である。**財務諸表監査は，被監査会社に対しても，財務諸表が企業外部の利害関係者に信頼され受容されることで，利害関係者との取引関係を円滑に構築し維持することを可能とするという便益をもたらす。

イ．**誤っている記述である。**財務諸表はあくまで経営者が作成するものであり，監査人は，経営者とともに財務諸表を作成する立場にはない。なお，監査人は，監査の過程で適正な財務諸表の作成を指導することがあるが，指導を受け入れるか否かの判断はあくまで経営者に委ねられるため，指導を行ったとしても監査人が財務諸表を作成したことにはならない。

ウ．**正しい記述である。**

エ．**正しい記述である。**

以上より，正しい記述はウ，エであり，正解は6となる。

問題 2　　正解 2

本問のポイント　監査人の役割

▼解　説▼

ア．**正しい記述である。**監査基準報告書200「財務諸表監査における総括的な目的」A1項参照

イ．**誤っている記述である。**利害関係者は，財務諸表上の情報を基礎に，合理的な経済的意思決定を行うことが想定されており（同報告書320「監査の計画及び実施における重要性」4項参照），財務諸表監査は，財務諸表について解説を与えるために行われるものではない。

ウ．**正しい記述である。**

エ．**誤っている記述である。**財務諸表の虚偽表示は，財務諸表の作成責任を負う経営者の責任の下で修正されるべきものである。監査人は，発見した虚偽表示については，経営者に修正を求めるが，自ら修正することはできない。

以上より，正しい記述はア，ウであり，正解は２となる。

問題 3

正解 **3**

本問のポイント 目的基準(監査基準の平成14年改訂前文三１)

▼解　説▼

ア．**正しい記述である。**

イ．**誤っている記述である。**意見の表明の形式は，監査の対象となる財務諸表の種類，あるいは監査の根拠となる制度や契約事項が異なれば，それに応じて異なるものとなる。例えば，会社法監査においては「財産及び損益の状況を適正に表示しているかどうか」という形式により意見が表明される。

ウ．**誤っている記述である。**監査人は，経営者から依頼された監査手続ではなく，自らの判断に基づき必要と認めた監査手続を実施した結果に基づいて意見を表明する。

エ．**正しい記述である。**

以上より，正しい記述はア，エであり，正解は３となる。

問題 4　　正解 4

本問のポイント　二重責任の原則

▼解　説▼

ア．**誤っている記述である**。監査人は，発見した財務諸表の重要な虚偽表示については，指導的機能を発揮し，経営者に修正を求めなければならない。また，これによっても修正するか否かの判断は経営者に委ねられることになるため，財務諸表の作成に対する責任の所在が不明瞭となることはない。

イ．**正しい記述である**。報告基準三(3)参照

ウ．**正しい記述である**。

エ．**誤っている記述である**。現行制度上，監査人は，状況に応じて監査報告書において財務諸表に対する意見とは別に監査人からの情報を提供するものとされており(報告基準二２参照)，監査人からの情報の提供は禁じられていない。

以上より，正しい記述はイ，ウであり，正解は４となる。

問題 5

正解 **6**

本問のポイント 監査基準

▼解　説▼

ア．**誤っている記述である。**監査人は，財務諸表の監査を行うに当たり，監査基準を常に遵守しなければならないが，監査基準それ自体は，あくまで法令には当たらない。

イ．**誤っている記述である。**監査基準は，被監査会社と利害関係者のみならず，監査人を含めた三者間の利害を合理的に調整するものとして設定されている。

ウ．**正しい記述である。**

エ．**正しい記述である。**

以上より，正しい記述はウ，エであり，正解は6となる。

問題 6　　正解 3

本問のポイント　監査基準

▼解　説▼

ア．**正しい記述である。** 監査基準は，金融商品取引法に基づく監査のみならず，会社法に基づく監査など，公認会計士による財務諸表の監査のすべてに共通する基準と位置付けられる（監査基準の平成14年改訂前文二３参照）。

イ．**誤っている記述である。** 監査基準は，単に過去の監査実践の集約という側面のみならず，将来にわたっての公認会計士監査の方向性を捉え，社会の要請に基づき新たな監査実践を創造する側面も有している（同改訂前文二１参照）。

ウ．**誤っている記述である。** 監査基準は，職業的専門家としての正当な注意の最低限の内容を明らかにするものであり，監査人の責任の有無を判断する基準と位置付けられる。そのため，監査人は，監査基準に準拠して監査を行った場合には，たとえ財務諸表の重要な虚偽の表示を看過して誤った意見を表明したとしても，その責任を負わない。

エ．**正しい記述である。** 監査基準報告書（序）「監査基準報告書及び関連する公表物の体系及び用語」３項参照

以上より，正しい記述はア，エであり，正解は３となる。

正解 **6**

本問のポイント　一般基準

▼解　説▼

ア．**誤っている記述である**。職業的懐疑心は，監査基準の平成14年の改訂において，不正や違法行為に対する監査人の責任を明確化することと併せて明文規定されたものであり，監査基準の設定当初から規定されていたものではない(同改訂前文三２(3)参照)。

イ．**誤っている記述である**。違法行為自体を発見することは監査人の責任ではなく，一般基準では，そのような責任があるとは示されていない。ただし，財務諸表の重要な虚偽の表示につながることがあるため，一般基準では，財務諸表に重要な影響を及ぼす場合があることに留意することが求められている(一般基準４，同改訂前文三２(4)参照)。

ウ．**正しい記述である**。監査基準の昭和31年設定前文，平成14年改訂前文三２参照

エ．**正しい記述である**。同改訂前文三２(7)参照

以上より，正しい記述はウ，エであり，正解は６となる。

問題 8　　　　正解 1

本問のポイント　一般基準

▼解　説▼

ア．**正しい記述である。**一般基準１，公認会計士法28条参照

イ．**正しい記述である。**一般基準２参照

ウ．**誤っている記述である。**職業的懐疑心は，経営者が誠実であるかどうかについて予断をもたないという監査人の姿勢を基礎としている(監査における不正リスク対応基準の設定前文二４(2)なお書き参照)。一般に，経営者が誠実でないことを前提とした場合，監査人は，如何に時間や人員を投じることによっても意見表明の基礎を得ることができず，この意味で，経営者が誠実でないことを前提として監査を行うことはできないものと考えられている。

エ．**誤っている記述である。**守秘義務の対象は，あくまで企業の秘密に限られ，企業に関する未公表の情報であっても，あらゆるものが守秘義務の対象となるわけではない(一般基準８，公認会計士法27条，監査基準の令和元年改訂前文二２参照)。

以上より，正しい記述はア，イであり，正解は１となる。

問題 9　　正解 3

本問のポイント　監査人の独立性

▼解　説▼

ア．**正しい記述である。**倫理規則120.15 A１項(1)参照

イ．**誤っている記述である。**精神的独立性を保持しているかどうかは，客観的に観察可能なものではないため，精神的独立性を保持し，職業的専門家としての正当な注意を払って監査を行うことができるとしても，監査人が被監査会社と利害関係を有している場合には，監査人の精神的独立性の保持に対する社会の疑いを招き，監査人の意見が信頼されずに財務諸表の信頼性を高めることができなくなってしまうおそれがあるため問題となる。

ウ．**誤っている記述である。**外観的独立性が損なわれないように精神的独立性の保持が求められるのではなく，精神的独立性が損なわれないように外観的独立性の保持が求められる。

エ．**正しい記述である。**

以上より，正しい記述はア，エであり，正解は３となる。

問題 10　　正解 2

本問のポイント　財務諸表の適正性の立証構造

▼解　説▼

ア．**正しい記述である。**

イ．**誤っている記述である。**監査証拠の適切性は，証明力のみならず，適合性を含む(監査基準報告書 200「財務諸表監査における総括的な目的」12項(3)参照)。

ウ．**正しい記述である。**監査基準の平成14年改訂前文三８(2)参照

エ．**誤っている記述である。**監査手続の実施の時期や費用の問題は，代替手続のない監査手続を省略する理由とはならない(同報告書Ａ47項参照)。

以上より，正しい記述はア，ウであり，正解は２となる。

問題 11　　　　正解 3

本問のポイント　監査手続

▼解　説▼

ア．**正しい記述である。**監査基準報告書 500「監査証拠」A22項参照

イ．**誤っている記述である。**有形資産の実査からは，必ずしも資産に係る権利と義務に関する監査証拠を入手できるわけではない(同報告書A16項参照)。

ウ．**誤っている記述である。**確認は,「企業外部の第三者」から「文書」による回答を直接入手する監査手続である(同報告書A18項参照)。

エ．**正しい記述である。**分析的手続では，例えば，給与と従業員数など，非財務データが用いられることがある(同報告書 520「分析的手続」A２項，A７項参照)。

以上より，正しい記述はア，エであり，正解は３となる。

問題 12　　正解 3

本問のポイント　実査・立会・確認

▼解　説▼

ア．**正しい記述である。**

イ．**誤っている記述である。**棚卸資産の立会を実施する際に，陳腐化品，破損品，又は老朽品が識別されることで，棚卸資産の評価に関する監査証拠が入手されることもある(監査基準報告書 501「特定項目の監査証拠」A 6 項参照)。

ウ．**誤っている記述である。**監査人は，棚卸資産が財務諸表において重要である場合には，実務的に不可能でない限り，実地棚卸の立会を実施しなければならない(同報告書 3 項参照)。

エ．**正しい記述である。**同報告書 505「確認」6 項(3)参照

以上より，正しい記述はア，エであり，正解は 3 となる。

問題 13　　正解 6

本問のポイント　監査証拠

▼解　説▼

ア．**誤っている記述である。**買掛金の網羅性を確かめる場合には，帳簿に計上「されていない」買掛金の有無を明らかにしなければならないため，帳簿に計上された買掛金の検討は目的に適合しない。また，買掛金の実在性を確かめる場合，帳簿に計上された買掛金を検討し，その計上根拠となる取引事実の有無を明らかにすることが目的に適合することになる(監査基準報告書 500「監査証拠」A27項参照)。

イ．**誤っている記述である。**監査証拠の証明力は，たとえ利用する情報の内容とその情報源が同一であるとしても，文書による方が口頭によるよりも強い(同報告書A31項参照)。

ウ．**正しい記述である。**同報告書Ａ８項参照

エ．**正しい記述である。**同報告書Ａ１−５項参照

以上より，正しい記述はウ，エであり，正解は６となる。

問題 14　　正解 6

本問のポイント　内部統制

▼解　説▼

ア．**誤っている記述である。**具体的にどのように内部統制を整備し運用するかは，各国の法制や社会慣行あるいは個々の企業の置かれた環境や事業の特性等を踏まえ，経営者自らが，内部統制の機能と役割を効果的に達成し得るよう工夫していくべきものである(監査基準の平成14年改訂前文三５参照)。

イ．**誤っている記述である。**例えば，内部統制が有効でない場合に，実証手続を充実させた結果として財務諸表の表示を適正と認めることも想定される。そのため，監査人の適正意見は，財務報告目的の内部統制が有効であることについて合理的な保証を得ていることを前提とするものではない。

ウ．**正しい記述である。**

エ．**正しい記述である。**

以上より，正しい記述はウ，エであり，正解は6となる。

問題 15　　正解 4

本問のポイント　内部統制システム

▼解　説▼

ア．**誤っている記述である。**監査人は，財務諸表の重要な虚偽表示を防止又は発見・是正する内部統制に依拠するため，全ての目的が達成されていることを確かめる必要はない。監査人は，主として企業の財務報告の信頼性を確保する目的の内部統制を評価することとなる。

イ．**正しい記述である。**

ウ．**正しい記述である。**

エ．**誤っている記述である。**内部統制への依拠の程度が高いということは，それだけ内部統制の有効性が高いことを理由として実証手続を軽減することを意図していることを意味するため，実証手続を充実する対応を示す本記述は誤っている。

なお，内部統制への依拠の程度が高いほど，それだけ内部統制の運用状況の有効性が高いことを裏付けるために，「運用評価手続」からはより確かな心証が得られる監査証拠を入手することが必要となる。

以上より，正しい記述はイ，ウであり，正解は4となる。

問題 16　　正解 1

本問のポイント　試査

▼解　説▼

ア．**正しい記述である。**

イ．**正しい記述である。**

ウ．**誤っている記述である。**監査人は，財務諸表に重要な虚偽の表示がないかどうかについて合理的な保証を得る責任を有しており，合理的な範囲で重要な虚偽の表示を発見する責任がある。

エ．**誤っている記述である。**監査人は，重要性やリスクの観点から試査によっては十分かつ適切な監査証拠を入手できないと判断した場合には，精査を採用することとなる(監査基準報告書 500「監査証拠」A53項参照)。監査基準上も，試査によるべきことは，あくまで「原則」とされ，例外的に精査を採用する余地が残されている(実施基準一４)。

以上より，正しい記述はア，イであり，正解は１となる。

問題 17　　　正解 1

本問のポイント　試査

▼解　説▼

ア．**正しい記述である。**監査基準報告書 500「監査証拠」A52項参照

イ．**正しい記述である。**同報告書A53項参照。なお，内部統制の運用評価手続において対象とする母集団は，通常，相当の項目数からなることから，精査は適用されない。

ウ．**誤っている記述である。**特定項目は，母集団を代表しないため，監査サンプリングによる場合とは異なり，特定項目に対して実施した監査手続の結果から，母集団全体にわたる一定の特性を推定することはできない(同報告書A55項参照)。

エ．**誤っている記述である。**監査サンプリングには，サンプルの抽出を無作為抽出法によらない非統計的サンプリングもあり，無作為抽出法によることは必須とされない(同報告書 530「監査サンプリング」4項(4)，A12項，A13項参照)。

以上より，正しい記述はア，イであり，正解は1となる。

問題 18

正解 **3**

本問のポイント リスク・アプローチ

▼解　説▼

ア．**正しい記述である。**

イ．**誤っている記述である。**監査リスクには，重要な虚偽の表示がない場合に監査人が重要な虚偽の表示があるという意見を表明するリスクは含まれない(監査基準報告書 200「財務諸表監査における総括的な目的」12項(5)，A32項参照)。

ウ．**誤っている記述である。**監査人は，「監査リスク」を合理的に低い水準に抑えることができるように「発見リスク」の水準を決定する。

エ．**正しい記述である。**同報告書A39項参照

以上より，正しい記述はア，エであり，正解は3となる。

問題 19　　正解 1

本問のポイント リスク・アプローチ

▼解　説▼

ア．**正しい記述である。**監査基準報告書 200「財務諸表監査における総括的な目的」A32項参照

イ．**正しい記述である。**同報告書５項，A44項参照

ウ．**誤っている記述である。**固有リスクは，「関連する内部統制が存在していないとの仮定の下で」重要な虚偽の表示が行われる可能性を意味するため，その水準は，内部統制の有効性の影響を受けるものではない（同報告書12項(10)①参照）。

エ．**誤っている記述である。**発見リスクが低く決定されたということは，より低い発見リスクを達成しなければ，監査リスクを合理的に低い水準に抑えることができないことを意味するため，監査人は，より充実した実証手続を立案し実施することで監査を効果的に実施することになる（同報告書A41項参照）。

以上より，正しい記述はア，イであり，正解は１となる。

正解　4

本問のポイント　リスク評価及び評価したリスクへの対応

▼解　説▼

ア．**誤っている記述である。**内部統制の運用状況の評価手続（運用評価手続）は，リスク評価手続ではなく，リスク対応手続に含まれる（実施基準二４，監査基準報告書 330「評価したリスクに対応する監査人の手続」３項(3)参照）

イ．**正しい記述である。**実施基準二４，同報告書 200「財務諸表監査における総括的な目的」A39項参照

　なお，財務諸表全体レベルにおいては，固有リスク及び統制リスクを結合した重要な虚偽表示のリスクを評価するものとされる（監査基準の令和２年改訂前文二２(1)参照）。

ウ．**正しい記述である。**実施基準二３，同報告書 330第４項参照

エ．**誤っている記述である。**全ての事業上のリスクが必ずしも重要な虚偽表示リスクとなるわけではないため，監査人は全ての事業上のリスクを理解し識別する責任を負うものではない（同報告書 315「重要な虚偽表示リスクの識別と評価」A56項参照）。

以上より，正しい記述はイ，ウであり，正解は４となる。

問題 21　　正解 6

本問のポイント　リスク評価及び評価したリスクへの対応

▼解　説▼

ア．**誤っている記述である。**事業上のリスクには，アサーション・レベルの重要な虚偽表示リスクにつながるものもあり，常に財務諸表全体レベルの重要な虚偽表示リスクにつながるものではない(監査基準報告書 315「重要な虚偽表示リスクの識別と評価」《付録１》４項参照)。

イ．**誤っている記述である。**リスク評価手続には，観察及び記録や文書の閲覧も必ず含めなければならない(同報告書13項参照)。

ウ．**正しい記述である。**同報告書A151項参照

エ．**正しい記述である。**特別な検討を必要とするリスクへの対応に当たっては，必ず当該リスクに個別に対応する実証手続を実施することが求められている(実施基準三３，同報告書 330「評価したリスクに対応する監査人の手続」20項参照)。

以上より，正しい記述はウ，エであり，正解は６となる。

問題 22　　正解　6

本問のポイント　監査基準報告書 540「会計上の見積りの監査」

▼解　説▼

ア．**誤っている記述である。** 会計上の見積りの確定額と過年度の財務諸表における認識額との間に差異があったとしても，必ずしも過年度の財務諸表に虚偽表示があったことを示しているわけではなく，虚偽表示でない限り，過年度の財務諸表の訂正及び訂正された財務諸表に対する監査報告書の発行は求められない(同報告書A60項参照)。

イ．**誤っている記述である。** 監査人は，会計上の見積りの合理性を判断するために，独自に見積りを行い(監査人の見積額又は許容範囲を設定し)，経営者が行った見積りと比較することがある(実施基準三５，同報告書17項(3)参照)。

ウ．**正しい記述である。** 同報告書17項，A91項参照

エ．**正しい記述である。** 実施基準三５，監査基準の令和２年改訂前文二２(1)参照

以上より，正しい記述はウ，エであり，正解は６となる。

問題 23　　正解 3

本問のポイント　監査基準報告書 300「監査計画」

▼解　説▼

ア．**正しい記述である。**同報告書A10項参照

イ．**誤っている記述である。**監査人は，監査の実施と管理を円滑にするために，監査計画の内容について経営者と協議することがあり，協議は禁じられていない。ただし，協議を行う場合には，監査の有効性を損なわないための配慮が必要とされる(同報告書A３項参照)。

ウ．**誤っている記述である。**監査計画の策定には，監査責任者及び監査チームの主要メンバーの参画が求められるにとどまり，全てのメンバーの参画は求められない(同報告書４項，A４項参照)。

エ．**正しい記述である。**同報告書８項参照

以上より，正しい記述はア，エであり，正解は３となる。

問題 24　　正解 2

本問のポイント　監査基準報告書 230「監査調書」

▼解　説▼

ア．**正しい記述である**。同報告書３項参照

イ．**誤っている記述である**。監査人は，監査の過程で生じた重要な事項に関する結論に到達する際の職業的専門家としての重要な判断を理解できるような監査調書を作成することが求められる(同報告書７項参照)が，監査において検討された事項及び職業的専門家としての判断の全てを文書化することは求められない(同報告書Ａ７項参照)。

ウ．**正しい記述である**。同報告書８項参照

エ．**誤っている記述である**。監査調書の保存期間に係る法令上の定めはない。なお，監査調書の保存期間としては会社法上の会計帳簿に関する保存期間として10年が参考となるが，状況によっては，これよりも短い又は長い保存期間が適当なこともある(同報告書Ａ23項参照)。

以上より，正しい記述はア，ウであり，正解は２となる。

問題 25　　正解 6

本問のポイント　他の監査人等の利用

▼解　説▼

ア．**誤っている記述である。**他の監査人の監査結果を利用した場合であっても，監査報告書上，原則として他の監査人に言及しないものとされる（監査基準の平成14年改訂前文三８(6)，監査基準報告書 600「グループ監査における特別な考慮事項」53項，A158項参照）。

イ．**誤っている記述である。**監査人は，その信頼性を慎重に吟味することを前提として，内部監査の結果を利用することが認められる（実施基準四３参照）。

ウ．**正しい記述である。**実施基準四２参照

エ．**正しい記述である。**

以上より，正しい記述はウ，エであり，正解は６となる。

問題 26

正解 4

本問のポイント 監査基準報告書 580「経営者確認書」

▼解　説▼

ア．**誤っている記述である**。監査人は，経営者確認書を入手しなければ，経営者の責任が果たされたと結論付けることはできないため，必ず経営者確認書を入手しなければならない(同報告書Ａ７項参照)。

イ．**正しい記述である**。同報告書４項参照

ウ．**正しい記述である**。同報告書12項参照

エ．**誤っている記述である**。監査人に提供される情報及び取引の網羅性に関する事項を含め，監査実施の基礎となる経営者の責任に関する事項について経営者から確認が得られない場合，監査人は，意見を表明してはならず，限定意見を表明する余地はない(同報告書19項(2)参照)。

以上より，正しい記述はイ，ウであり，正解は４となる。

問題27　　正解　2

本問のポイント　監査報告書の記載事項

▼解　説▼　報告基準三参照

ア．**正しい記述である。**

イ．**誤っている記述である。**財務諸表の適正性判断に当たっては，会計方針の会計基準への継続的な準拠性，会計事象や取引の反映の適切性及び財務諸表の表示方法の適切性を評価することが求められる（報告基準一２参照）が，これら各々についての監査人の判断は監査報告書に記載されない。

ウ．**正しい記述である。**

エ．**誤っている記述である。**監査人の責任の区分には，監査の基準に準拠して実施される監査の主要な特徴が標準的な文言で記載されるにとどまり，監査人が実際に選択適用した監査手続は記載されない。

以上より，正しい記述はア，ウであり，正解は２となる。

問題 28　　正解 4

本問のポイント　監査報告

▼解　説▼

ア．**誤っている記述である。**監査人が意見形成の基礎を得るために合理的に低い水準に抑えなければならないのは，重要な虚偽表示のリスクではなく，監査リスクである（報告基準一３参照）。

イ．**正しい記述である。**報告基準三参照

ウ．**正しい記述である。**報告基準三参照

エ．**誤っている記述である。**この場合，監査人は，意見不表明とするのではなく，不適正意見を表明しなければならない（報告基準四２参照）。

以上より，正しい記述はイ，ウであり，正解は４となる。

問題 29　　　　正解　5

本問のポイント　監査報告

▼解　説▼

ア．**誤っている記述である**。企業会計の基準によらない会計方針の適用が認められるのは，適用する企業会計の基準が明確「でない」場合又は企業会計の基準において詳細な定めが「ない」場合に限られる。我が国では，企業会計の基準からの離脱は認められておらず，適用する企業会計の基準が明確である場合又は企業会計の基準において詳細な定めがある場合に当該企業会計の基準に準拠しないことは認められない（監査基準報告書 200「財務諸表監査における総括的な目的」A７項参照）。

イ．**正しい記述である**。意見形成の適切性の確認は，審査によらず，より簡便的な方法によることも認められる（報告基準一５参照）。

ウ．**誤っている記述である**。意見形成の基礎が得られない場合における意見の表明は例外なく禁じられる（報告基準一４参照）。

エ．**正しい記述である**。会計方針の選択及び適用方法が会計事象や取引を適切に反映するものでない場合又は財務諸表の表示方法が適切でない場合であって，その影響が重要かつ広範であるときには，不適正意見を表明することになる（監査基準の平成14年改訂前文三９（1）②，報告基準一２参照）。

以上より，正しい記述はイ，エであり，正解は５となる。

問題 30　　正解 4

本問のポイント　監査上の主要な検討事項

▼解　説▼

ア．**誤っている記述である。**監査上の主要な検討事項は，監査の過程で「監査役等」と協議した事項の中から決定される（報告基準七１参照）。

イ．**正しい記述である。**監査基準の平成30年改訂前文二１⑵参照

ウ．**正しい記述である。**報告基準七２参照。

エ．**誤っている記述である。**意見を表明しない場合，監査上の主要な検討事項を記載したときには記載対象とした事項について部分的に保証しているかのような印象を与える可能性があるため，監査上の主要な検討事項を記載しないものとされている（同改訂前文二１⑷参照）。

以上より，正しい記述はイ，ウであり，正解は４となる。

正解　4

本問のポイント　追記情報

▼解　説▼

ア．**誤っている記述である。**追記情報のうち，その他の事項は，財務諸表に表示又は開示されていない事項を対象とする（監査基準報告書 706「独立監査人の監査報告書における強調事項区分とその他の事項区分」6項(2)参照）。そのため，財務諸表に記載のない事項が追記情報となることもある。

イ．**正しい記述である。**監査人は，財務諸表上の適切な注記については，利用者が財務諸表を理解する基礎として重要であるため，当該事項を強調して利用者の注意を喚起する必要があると判断した場合であってはじめて追記情報（強調事項）として記載することになる（同報告書 7項参照）。

ウ．**正しい記述である。**同報告書 7項(1)，A 7項(1)参照

エ．**誤っている記述である。**追記情報とする必要がある事項がない場合において，その旨を監査報告書に記載することは要求されていない。なお，監査上の主要な検討事項については，報告すべきものがない場合，その旨を記載することが要求されている（同報告書 701「独立監査人の監査報告書における監査上の主要な検討事項の報告」15項参照）。

以上より，正しい記述はイ，ウであり，正解は4となる。

問題 32　　正解 1

本問のポイント　除外事項と監査報告

▼解　説▼

ア．**正しい記述である。**報告基準四１参照

イ．**正しい記述である。**不適正意見は，意見に関する除外事項(財務諸表の虚偽表示)の影響が重要かつ広範である場合の監査報告上の対応である。重要な監査手続を実施できないという監査範囲の制約に関する除外事項の影響が重要かつ広範であり，財務諸表全体に対する意見表明のための基礎を得ることができなかったときには，その類型を問わず，意見を表明することは禁じられる(報告基準五２参照)ため,「不適正意見を表明してはならない」とする本記述は正しい。

ウ．**誤っている記述である。**本記述の場合，重要な監査手続を実施できなかった場合に準じて意見の表明の適否を判断することが求められ(報告基準五３参照)，状況によっては意見を表明しないことになるため，必ず限定付適正意見を表明しなければならないわけではない。

エ．**誤っている記述である。**将来の帰結が予測し得ない事象又は状況について，財務諸表に与える当該事象又は状況の影響が複合的かつ多岐にわたる場合には，意見の表明ができるか否かを慎重に判断することが求められるが，一律に意見表明が禁じられるわけではない(報告基準五４参照)。

以上より，正しい記述はア，イであり，正解は１となる。

問題 33　　正解 3

本問のポイント　監査報告上の判断

▼解　説▼

ア．**正しい記述である。**本記述の場合，確認を予定していた得意先に対する売掛金の適否が明らかにならないことから，その影響が重要であるが広範でないときには，監査範囲の制約に係る除外事項を付した限定付適正意見を表明することになる。

イ．**誤っている記述である。**子会社の財務諸表が不適正である場合は，連結財務諸表に対して意見に関する除外事項を付した限定付適正意見又は不適正意見を表明する原因となるが，意見不表明とする原因とはならない。

ウ．**誤っている記述である。**経営者確認書上の確認が得られなかった場合であっても，虚偽表示が明らかにされたことにはならないため，意見に関する除外事項を付す原因とはならない。この場合，監査範囲の制約として扱うことになる。

エ．**正しい記述である。**本記述の場合，損害賠償請求訴訟について注記されていないことは虚偽の表示に当たることから，その影響が重要かつ広範であるときには，不適正意見を表明することになる。

以上より，正しい記述はア，エであり，正解は3となる。

問題 34　　正解 6

本問のポイント　財務諸表監査における不正

▼解　説▼

ア．**誤っている記述である**。監査人は，不正によるか誤謬によるかを問わず，全体としての財務諸表に重要な虚偽表示がないことについて合理的な保証を得る責任がある（監査基準報告書 240「財務諸表監査における不正」5項参照）。

イ．**誤っている記述である**。不正な財務報告には，計上すべき金額を計上しないこと又は必要な開示を行わないことも含まれる（同報告書Ａ２項参照）。

ウ．**正しい記述である**。同報告書Ａ５項参照

エ．**正しい記述である**。同報告書Ａ１項参照

以上より，正しい記述はウ，エであり，正解は6となる。

問題 35　　正解 3

本問のポイント　不正リスク対応基準

▼解　説▼

ア．**正しい記述である。**不正リスク対応基準の設定前文二３(2)参照

イ．**誤っている記述である。**不正リスク対応基準は，財務諸表監査の目的を変えるものではなく，虚偽表示の原因とならない不正の可能性についてまで対応することを監査人に求めるものではない(同設定前文二２(2)参照)。

ウ．**誤っている記述である。**想定される不正の態様等に直接対応した監査手続を立案し監査計画を修正することが義務付けられるのは,「不正による重要な虚偽の表示を示唆する状況を識別した場合」ではなく,「不正による重要な虚偽の表示の疑義があると判断した場合」である(同設定前文二４(3)⑤，同基準第二・12参照)。

エ．**正しい記述である。**同設定前文二４(4)参照

以上より，正しい記述はア，エであり，正解は３となる。

問題 36　　正解 6

本問のポイント　監査基準報告書 250「財務諸表監査における法令の検討」

▼解　説▼

ア．**誤っている記述である。**監査人は，例えば，税金や年金に関する法令など，財務諸表の重要な金額及び開示の決定に直接影響を及ぼすものとして一般的に認識されている法令については，企業がそれを遵守していることについて十分かつ適切な監査証拠を入手する責任を負う(同報告書 6 項， 7 項参照)。

イ．**誤っている記述である。**監査人は，識別された違法行為又はその疑いの有無にかかわらず，経営者に，違法行為又はその疑いが全て監査人に示された旨の経営者確認書を提出するように要請しなければならない(同報告書16項,17項参照)。

ウ．**正しい記述である。**同報告書18項参照

エ．**正しい記述である。**同報告書Ａ24項参照

以上より，正しい記述はウ，エであり，正解は6となる。

正解　5

本問のポイント　継続企業の前提

▼解　説▼

ア．**誤っている記述である**。監査人には，経営者が継続企業を前提として財務諸表を作成することが適切であるかどうかについて検討する責任があるが，継続企業を前提として作成された財務諸表の表示を適正と認める意見を表明した場合であっても，企業存続そのものについて保証を与えたことにはならない(監査基準の平成14年改訂前文三６(2)参照)。

イ．**正しい記述である**。監査人は，監査期間中，当該事象又は状況の有無に継続的に留意する必要があるが，当該事象又は状況の有無は，監査人のリスク評価にも影響を及ぼすことから，監査人には，監査計画の策定に当たって確かめることが求められている(実施基準二７参照)。

ウ．**誤っている記述である**。経営者が評価及び対応策を示さない場合には，重要な監査手続を実施できなかった場合に準じて意見の表明の適否を判断しなければならない(報告基準六３参照)が，機械的に(ないし一律に)意見の表明が禁じられるわけではない。この場合においても，監査人は，継続企業を前提として財務諸表を作成することが適切であると判断し，意見を表明できることもある。

エ．**正しい記述である**。継続企業の前提に関する重要な不確実性が認められる場合であっても，継続企業の前提の不成立が明らかでない限り，経営者は，継続企業を前提として財務諸表を作成することができ，また，監査人は，当該重要な不確実性について適切に注記されているのであれば，当該財務諸表の表示を適正と認めることができる。なお，この場合，監査報告書に「継続企業の前提に関する重要な不確実性」区分を設けて当該重要な不確実性について記載することになる。

以上より，正しい記述はイ，エであり，正解は５となる。

問題 38　　正解 3

本問のポイント　継続企業の前提

▼解　説▼

ア．**正しい記述である**。経営者が評価及び対応策を示さない場合には，継続企業の前提に関する重要な不確実性が認められるか否かを確かめる十分かつ適切な監査証拠を入手できないことがある(報告基準六３参照)ため，その影響が重要であるが広範でなければ監査範囲の制約に関する除外事項を付した限定付適正意見を表明することになる。

イ．**誤っている記述である**。継続企業の前提に関する事項について監査報告書に記載しなければならないのは，継続企業の前提に関する重要な不確実性が認められ，かつ当該重要な不確実性について財務諸表に適切に注記されている場合である。重要な不確実性が認められないと判断したのであれば，継続企業の前提に関する事項について，財務諸表上の注記も，監査報告書上の記載も求められない。

ウ．**誤っている記述である**。継続企業を前提として財務諸表を作成することが適切でない場合には，継続企業を前提とした財務諸表では，会計事象や取引を適切に反映したものとならず，全体として虚偽の表示に当たるため，不適正意見を表明しなければならず，限定付適正意見を表明することは認められない(報告基準六４参照)。

エ．**正しい記述である**。継続企業の前提に関する事項が適切に記載されていないとしても，その影響が広範でなければ限定付適正意見を表明することも考えられ，必ず不適正意見を表明しなければならないわけではない。

以上より，正しい記述はア，エであり，正解は３となる。

問題 39　　正解 3

本問のポイント　品質管理基準(設定前文二)

▼解　説▼

ア．**正しい記述である。**

イ．**誤っている記述である。**品質管理基準では，個々の監査業務を実施する監査実施者が遵守すべき品質管理についても定められている。

ウ．**誤っている記述である。**品質管理システムの内容は，監査業務の質が合理的に確保される範囲において，監査事務所が扱う監査業務の目的，内容等に応じて，変化しうるものであると考えられる。

エ．**正しい記述である。**品質管理基準の令和６年改訂前文二参照

以上より，正しい記述はア，エであり，正解は３となる。

問題 40　　正解 1

本問のポイント　品質管理基準

▼解　説▼

ア．**正しい記述である**。品質管理基準第八・四２

イ．**正しい記述である**。品質管理基準第十四１

ウ．**誤っている記述である**。共同監査を行う場合には，他の監査事務所の品質管理システムが，品質管理基準に準拠し，当該監査業務の質を合理的に確保するものであるかどうかを確かめることが求められているが，共同監査を担当する複数の監査事務所の品質管理システムが同一であることまでは求められていない(品質管理基準・設定前文三８参照)。

エ．**誤っている記述である**。その事情にかかわらず，監査事務所は，監査上の判断の相違が解決しない限り，監査報告書を発行してはならない(品質管理基準第八・三３参照)。

以上より，正しい記述はア，イであり，正解は１となる。

問題 41　　正解 5

本問のポイント　期中レビュー

▼解　説▼

ア．**誤っている記述である**。監査基準のうち，一般基準が定めている監査人が備えるべき要件及び監査に対する姿勢については，期中レビューにも共通するものであり，期中レビューにも適用される。

イ．**正しい記述である**。期中レビューにおいて，監査人は，期中財務諸表に重要な虚偽の表示があるときに不適切な結論を表明するリスクを，年度の財務諸表の監査における監査リスクに求められる「合理的に低い水準」よりも高い，「適度な水準」に抑えて結論を表明する（期中レビュー基準「第一　期中レビューの目的」参照）。

ウ．**誤っている記述である**。この場合，追加的な質問や関係書類の閲覧等の追加的な手続を実施して当該事項の有無を確かめ，その事項の結論への影響を検討することが求められる（期中レビュー基準「第二　実施基準」8参照）。ただし，合理的な保証を得るための実証手続の実施までは求められない。

エ．**正しい記述である**。

以上より，正しい記述はイ，エであり，正解は5となる。

問題 42　正解 5

本問のポイント　期中レビュー

▼解　説▼

ア．**誤っている記述である。**監査人は，期中レビュー報告書の発行に際しても，必ず経営者確認書を入手することが求められる（期中レビュー基準「第二　実施基準」11参照）。

イ．**正しい記述である。**期中レビュー基準「第三　報告基準」5（2）参照

ウ．**誤っている記述である。**重要な期中レビュー手続を実施できなかった場合であっても，その影響が広範でないときは，限定付結論を表明することになり，一律に結論の表明が禁じられるわけではない（期中レビュー基準「第三　報告基準」8，9参照）。

エ．**正しい記述である。**継続企業の前提に関する重要な不確実性が認められる場合において，継続企業の前提に関する事項が期中財務諸表に適切に記載されていると判断して無限定の結論を表明するときに，当該事項を記載することが求められる（期中レビュー基準「第三　報告基準」12（1）参照）。

以上より，正しい記述はイ，エであり，正解は5となる。

問題 43　　正解 2

本問のポイント　内部統制監査

▼解　説▼

ア．**正しい記述である。**財務報告に係る内部統制の評価及び監査の基準・「Ⅲ．財務報告に係る内部統制の監査」2参照

イ．**誤っている記述である。**内部統制監査は，原則として財務諸表の監査人と同一の監査人が財務諸表監査と一体となって行うものとされる(同2参照)。

ウ．**正しい記述である。**同3(5)参照

エ．**誤っている記述である。**内部統制監査における監査意見は，あくまで内部統制報告書の適正性を対象とするものである。そのため，たとえ内部統制に開示すべき重要な不備がある場合においても，それが内部統制報告書に適切に記載されている限り，監査人は，無限定適正意見を表明することとなる。なお，この場合，内部統制監査報告書上，その旨及び財務諸表監査に及ぼす影響を追記情報(強調事項)として記載するものとされる(同4(6)①参照)。

以上より，正しい記述はア，ウであり，正解は2となる。

問題 44　　正解 3

本問のポイント　内部統制監査

▼解　説▼

ア．**正しい記述である。**内部統制評価は期末日を基準とするため，期末日において開示すべき重要な不備がない限り，財務報告に係る内部統制が有効であるとする内部統制報告書の表示を適正と認めることに問題はない。

イ．**誤っている記述である。**財務報告に係る内部統制が有効でないとしても，関連する取引種類，勘定残高及び注記事項に対する実証手続を充実させた結果として意見表明の基礎を得て財務諸表に対する意見を表明する余地はある。

ウ．**誤っている記述である。**内部統制監査報告と財務諸表監査報告は，統合型監査報告書により一体的に行うのが原則とされる。

エ．**正しい記述である。**

以上より，正しい記述はア，エであり，正解は3となる。

問題 45　　正解 **2**

本問のポイント　金融商品取引法監査制度

▼解　説▼

ア．**正しい記述である。**

イ．**誤っている記述である。**中間監査は，適正性ではなく，有用性(有用な情報を表示しているかどうか)に関する意見の表明を目的としている(中間監査基準・目的基準参照)。

ウ．**正しい記述である。**

エ．**誤っている記述である。**内部統制報告書の提出が義務付けられるのは，有価証券報告書の提出が義務付けられる会社のうち，上場会社等に限られる。

以上より，正しい記述はア，ウであり，正解は2となる。

問題 46　　正解 5

本問のポイント　金融商品取引法監査制度

▼解　説▼

ア．**誤っている記述である。**財務書類のうち中間財務諸表については期中レビューに基づき消極的形式による結論，内部統制報告書については内部統制監査に基づき積極的形式による意見が表明される。

イ．**正しい記述である。**

ウ．**誤っている記述である。**半期報告書に含まれる中間財務諸表については，上場会社等の場合には期中レビュー，上場会社等以外の会社の場合には中間監査を受けることになる。

エ．**正しい記述である。**有価証券報告書又は半期報告書の記載内容のうち，財務書類を訂正するために訂正報告書を提出する場合には監査証明が必要とされるが，財務書類以外の記載内容を訂正するために訂正報告書を提出する場合には監査証明は必要とされない。

以上より，正しい記述はイ，エであり，正解は５となる。

問題 47　　正解 5

本問のポイント　会社法監査制度

▼解　説▼

ア．**誤っている記述である**。会計監査人の設置は，大会社のほか，監査等委員会設置会社及び指名委員会等設置会社についても義務付けられている(会社法327条5項,328条参照)。なお，これら以外の会社が任意に会計監査人を設置するためには，会計監査人の独立性を担保する観点から，監査役が設置されていることが必要とされる。

イ．**正しい記述である**。会社法397条参照。ただし，監査役等に対する報告が義務付けられるのは，会計監査人としての職務，すなわち計算関係書類の適正性を明らかにするための監査手続を実施する中で発見した場合に限られ，会計監査人に対して，監査役等と同様に取締役の職務遂行に関わる業務監査を行う責任が課されているわけではない。

ウ．**誤っている記述である**。会計監査人設置会社においても，計算書類及びその附属明細書並びに連結計算書類は，会計監査人のみならず，監査役等の監査も受けなければならないとされる(会社法436条2項1号,444条4項参照)。

エ．**正しい記述である**。会社計算規則126条1項2号参照。なお，会計監査人は，計算関係書類について意見不表明とすることがあるが，意見不表明は意見を表明しない対応である以上，意見には該当しない。

以上より，正しい記述はイ，エであり，正解は5となる。

問題 48　　正解 6

本問のポイント　会社法監査制度

▼解　説▼

ア．**誤っている記述である。**各事業年度に係る計算書類及び事業報告並びにこれらの附属明細書のうち，会計監査人の監査対象となるのは，計算書類及びその附属明細書に限られ，事業報告及びその附属明細書については，監査役等の監査対象とされる(会社法436条２項参照)。

イ．**誤っている記述である。**大会社，監査等委員会設置会社又は指名委員会等設置会社である場合には，有価証券報告書提出会社であるか否かにかかわらず，会計監査人を設置しなければならない。

ウ．**正しい記述である。**計算書類が法令及び定款に従い株式会社の財産及び損益の状況を正しく表示しているものとして一定の要件を充足する場合には，定時株主総会の承認は不要とされる(会社法438条,439条，会社計算規則135条参照)。

エ．**正しい記述である。**会社法337条参照

以上より，正しい記述はウ，エであり，正解は６となる。

正解　2

本問のポイント　監査制度横断

▼解　説▼

ア．**正しい記述である**。ただし，金融商品取引法監査における意見が「財政状態，経営成績及びキャッシュフローの状況」の適正表示を対象とする一方，会社法監査における意見は「財産及び損益の状況」の適正表示を対象とするといった表現形式面の相違はある（会社法では，キャッシュ・フロー計算書の作成は求められていないため，キャッシュ・フローの状況の適正表示は，監査人の意見表明の対象とされない。）。

イ．**誤っている記述である**。会社法上は，金融商品取引法上の半期報告及び期中レビューに相当する制度は設けられていない。

ウ．**正しい記述である**。

エ．**誤っている記述である**。金融商品取引法監査と会社法監査とでは対象会社の範囲が異なるため，金融商品取引法監査が義務付けられる会社であっても，会社法監査が義務付けられるとは限らない（会社法上の大会社，監査等委員会設置会社又は指名委員会等設置会社でない限り，会社法監査は義務付けられない。）。

以上より，正しい記述はア，ウであり，正解は２となる。

問題 50　　正解 5

本問のポイント　監査人の独立性

▼解　説▼

ア．**誤っている記述である**。公認会計士は，監査役を含め，会社の役員である場合，当該会社の財務書類について監査証明業務を行うことはできない。

イ．**正しい記述である**。なお，公認会計士業務のうち，非監査証明業務(財務書類の調製，財務に関する調査・立案，財務に関する相談)により継続的な報酬を受けている場合に監査証明業務を行うことは禁じられない(ただし，公認会計士法上の大会社等については一定の制限がある。)。

ウ．**誤っている記述である**。過去1年内に会社の使用人であった場合には，当該会社の財務書類について監査証明業務を行うことはできないが，それより前に使用人であった場合にはこの限りでない。

エ．**正しい記述である**。株主については，遺贈又は相続により取得後1年を経過しない場合，債権者及び債務者については，特別な事情を有する債権又は債務である場合，例外的に監査証明業務を行うことが認められる。

以上より，正しい記述はイ，エであり，正解は5となる。

公認会計士　短答式試験対策シリーズ

ベーシック問題集　監査論　第15版

2007年10月15日　初　版　第1刷発行
2024年9月20日　第15版　第1刷発行

編著者　TAC株式会社（公認会計士講座）
発行者　多田敏男
発行所　TAC株式会社　出版事業部（TAC出版）
〒101-8383
東京都千代田区神田三崎町3-2-18
電話03(5276)9492(営業)
FAX 03(5276)9674
https://shuppan.tac-school.co.jp
印　刷　株式会社ワコー
製　本　株式会社常川製本

ISBN 978-4-300-11453-7
N.D.C. 336

(2024年2月現在)

書籍のご購入は

1 全国の書店、大学生協、ネット書店で

2 TAC各校の書籍コーナーで

資格の学校TACの校舎は全国に展開!
校舎のご確認はホームページにて

資格の学校TAC ホームページ
https://www.tac-school.co.jp

3 TAC出版書籍販売サイトで

TAC 出版 で 検索

24時間
ご注文
受付中

https://bookstore.tac-school.co.jp/

新刊情報をいち早くチェック!

たっぷり読める立ち読み機能

学習お役立ちの特設ページも充実!

TAC出版書籍販売サイト「サイバーブックストア」では、TAC出版および早稲田経営出版から刊行されている、すべての最新書籍をお取り扱いしています。
また、会員登録(無料)をしていただくことで、会員様限定キャンペーンのほか、送料無料サービス、メールマガジン配信サービス、マイページのご利用など、うれしい特典がたくさん受けられます。

サイバーブックストア会員は、特典がいっぱい!(一部抜粋)

通常、1万円(税込)未満のご注文につきましては、送料・手数料として500円(全国一律・税込)頂戴しておりますが、1冊から無料となります。

専用の「マイページ」は、「購入履歴・配送状況の確認」のほか、「ほしいものリスト」や「マイフォルダ」など、便利な機能が満載です。

メールマガジンでは、キャンペーンやおすすめ書籍、新刊情報のほか、「電子ブック版TACNEWS(ダイジェスト版)」をお届けします。

書籍の発売を、販売開始当日にメールにてお知らせします。これなら買い忘れの心配もありません。

公認会計士試験対策書籍のご案内

TAC出版では、独学用およびスクール学習の副教材として、各種対策書籍を取り揃えています。
学習の各段階に対応していますので、あなたのステップに応じて、合格に向けてご活用ください!

短答式試験対策

・財務会計論【計算問題編】
・財務会計論【理論問題編】
・管理会計論
・監査論
・企業法

『ベーシック問題集』シリーズ A5判

● 短答式試験対策を本格的に始めた方向け、苦手論点の克服、直前期の再確認に最適!

・財務会計論【計算問題編】
・財務会計論【理論問題編】
・監査論
・企業法

『アドバンスト問題集』シリーズ A5判

● 『ベーシック問題集』の上級編。より本試験レベルに対応しています

『財務会計論会計基準早まくり条文別問題集』 B6変型判

● ○×式の一問一答で会計基準を早まくり
◎ 論文式試験対策にも使えます

論文式試験対策

・財務会計論【計算編】
・管理会計論

『新トレーニング』シリーズ B5判

● 基本的な出題パターンを網羅。効率的な解法による総合問題の解き方を身に付けられます!
◎ 各巻数は、TAC公認会計士講座のカリキュラムにより変動します
◎ 管理会計論は、短答式試験対策にも使えます

過去問題集

『短答式試験 過去問題集』
『論文式試験必修科目 過去問題集』
『論文式試験選択科目 過去問題集』
A5判

● 直近3回分の問題を、ほぼ本試験形式で再現。TAC講師陣による的確な解説付き

書籍の正誤に関するご確認とお問合せについて

書籍の記載内容に誤りではないかと思われる箇所がございましたら、以下の手順にてご確認とお問合せをしてくださいますよう、お願い申し上げます。
なお、正誤のお問合せ以外の**書籍内容に関する解説および受験指導などは、一切行っておりません。**
そのようなお問合せにつきましては、お答えいたしかねますので、あらかじめご了承ください。

1 「Cyber Book Store」にて正誤表を確認する

TAC出版書籍販売サイト「Cyber Book Store」のトップページ内「正誤表」コーナーにて、正誤表をご確認ください。

CYBER BOOK STORE TAC出版書籍販売サイト

URL:https://bookstore.tac-school.co.jp/

2 1の正誤表がない、あるいは正誤表に該当箇所の記載がない ⇒ 下記①、②のどちらかの方法で文書にて問合せをする

★ご注意ください★

お電話でのお問合せは、お受けいたしません。
①、②のどちらの方法でも、お問合せの際には、「お名前」とともに、
「対象の書籍名(○級・第○回対策も含む)およびその版数(第○版・○○年度版など)」
「お問合せ該当箇所の頁数と行数」
「誤りと思われる記載」
「正しいとお考えになる記載とその根拠」
を明記してください。
なお、回答までに1週間前後を要する場合もございます。あらかじめご了承ください。

① ウェブページ「Cyber Book Store」内の「お問合せフォーム」より問合せをする

【お問合せフォームアドレス】

https://bookstore.tac-school.co.jp/inquiry/

② メールにより問合せをする

【メール宛先　TAC出版】

syuppan-h@tac-school.co.jp

※土日祝日はお問合せ対応をおこなっておりません。
※正誤のお問合せ対応は、該当書籍の改訂版刊行月末日までといたします。

乱丁・落丁による交換は、該当書籍の改訂版刊行月末日までといたします。なお、書籍の在庫状況等により、お受けできない場合もございます。
また、各種本試験の実施の延期、中止を理由とした本書の返品はお受けいたしません。返金もいたしかねますので、あらかじめご了承くださいますようお願い申し上げます。

TACにおける個人情報の取り扱いについて
■お預かりした個人情報は、TAC(株)で管理させていただき、お問合せへの対応、当社の記録保管にのみ利用いたします。お客様の同意なしに業務委託先以外の第三者に開示、提供することはございません(法令等により開示を求められた場合を除く)。その他、個人情報保護管理者、お預かりした個人情報の開示等及びTAC(株)への個人情報の提供の任意性については、当社ホームページ(https://www.tac-school.co.jp)をご覧いただくか、個人情報に関するお問い合わせ窓口(E-mail:privacy@tac-school.co.jp)までお問合せください。

(2022年7月現在)